理系のための文章教室

もう「読みにくい」とは言わせない！

藍月要

星海社

161
SEIKAISHA
SHINSHO

どれだけしっかり考えて書いても、「読みにくい」「わかりづらい」と言われてしまう。もう嫌になる、どうせ理系の人間には文章力がないんだ――。

なんて思っていませんか？

それは、大いなる誤解です。

理系の人間が持つ文章力は、決して低くありません。**使い方を間違えているだけ**です。


わたしは、高専（高等専門学校）で電気・情報分野を学び、大学の工学部と大学院の工学研究科にも進学した、バリバリの理系人間です。

一方で、現在は作家（ライトノベル作家）として活動しています。また、フリーランスの広報として、ＩＴ企業でプレスリリースやオウンドメディアの記事を書いてもいます。どちらも、文章を書くことが職務のいちばん中心にあるお仕事です。

作家として出した一冊目は、「読みにくい」と言われまくりました。理系の世界で育ったわたしが、そこで得た技術と倫理で精いっぱい書いた文章は、世間的にはクセの強い悪文だったのです。もちろんあの本は、愛してやまないわたしの誇りのひとつですし、好きだと言ってくださった読者の方々もたくさんいます。ですが、それはそれとして、多くの人にとって読みにくい文章であったことは、受け止めなくてはなりませんでした。

どうすればいいのか考えて考えて、いろんなことを変えました。その甲斐あって今では、書いたものについて、「読みやすい」とのお声をいただくことがほとんどになりました。

いかにも理系っぽい、読みにくい文章の書き手であった人間が、商業出版のエンタメ世界で血を吐きながら身につけた、読みやすさのための技術。

この本では、それらを、あしたから使えるレベルでスッキリまとめてご紹介します。もうちょっと人に伝わる文章を書きたい……そんなことを願う理系のあなたに、ぜひお伝えしたいテクニックの数々です。

あなたの文章って読みやすいよね——そう言われる自分になりませんか？

目次

2章

理系の文章、一文が長すぎる問題 29

3章 理系の文章、字面の圧が高すぎる問題 65

6章 一目置かれよう！ 上級編テクニック集 135

1章

文系社会における**理系の境遇**

1. 文系理系の割合から見る現代社会の構造

わたしたち理系の人生には、独特の生きにくさがあります。それは、この社会が文系多数派の社会——すくなくとも、理系少数派の社会であることから来る生きにくさです。

そもそも理系って、割合的にはどれくらいいるのでしょう？

参考までに、政府が統計データを出している学校基本調査から、令和元年度における大学の学科ごとの人数を見て、その割合を出してみます。

どの学科を理系とすべきかという問題もありますが、まずは、『理学』と『工学』を対象にしてみましょう。このふたつはすくなくとも、理系と言っていいはずです。理工系とも呼称しますから、学問の名前からして明らかかなと。

計算すると、割合は全体の約17・6％でした。二割に満たない数です。

どうでしょう、「なかなかすくないな」と思いましたか？　それとも、「こんなもんだよな」でしょうか。

今度は、『理学』と『工学』に『医学・歯学』『薬学』、それから『農学』も加えてみます。すると、割合は約26・1%でした。

もちろん、令和元年度における現役の大学生がこんな割合というだけですから、これをそのまま、さまざまな世代のいる日本社会全体の実情として考えていいわけではありません。

ただ、やはりほかの年度においても、データを見る限り、すくなくとも理系の学生は多数派ではなさそうです。

いくつかの面で自分たちとは考え方や文化の違う人たちの方が、自分たちの生きる社会においては多数派である。この結論、感覚的にも一致するところではないでしょうか? **社会においてわたしたち理系は、なにかとマイノリティの側にあります。**

それがゆえの生きにくさを、あなたも感じたことがあるのではないでしょうか?

2. 理系の生きにくさの実態

ある日、Twitter で、とあるつぶやきがすこし話題になっていました。「たった一ヶ月でこんなに寒くなった」という旨の言葉に、十月と十一月の気温データが画像で添えられた投稿です。

たしかに、その気温データをパッと見る限り、日本は一ヶ月でずいぶん冷え込んだように思えました。

しかし、よく確認してみると、十月は朝の気温データで、十一月は昼過ぎの気温データ。一方は冷え込む朝で、一方はいちばん暑くなる昼過ぎという、条件をそろえているとは言い難い形での比較でした。

これについて「条件はそろえて論じるべき」という内容の反論がつき、またそれに対して「人の感じ方の話をしているだけ」といった再反論がされ、次第に周りからもいろいろ意見が寄せられる事態に。

件の投稿は、ちょっとした論争の種になっているように見えました。

あの投稿について、正しいとか間違っているとかを、今ここで言いたいのではありません（わたし個人の感覚としては、擁護する気持ちも、物申したい気持ちも、両方わかります）。

気になったのは、ネット上のコメントにも、リアルでの友人たちの感想からも見られた、**苦言を呈す側に対する「これだから理系は空気が読めない」という意見**です。

学術的・科学的な観点から言えば、条件をそろえて比較すべきという方が正しい意見でしょう。そうすれば、より正確にものごとを捉えられますから。

ただ、コミュニケーションという観点においては、**できる限りの正確さを求めることが、絶対的にいつでも正しい……とは限らない**面があります。

ものごとを前に進めるため、きっちり合ってはいない大まかな意見に、一旦はうなずく。理解を得るため、あえて正確さをいくらか削って説明をする。そんなふるまいが、現実の社会では時折求められます。

そして、そういった適度な妥協こそが社会を回す潤滑油である、なんて考えも、この世の中にはあるように思えます。正確さを求める指摘に対し、「空気が読めない」との意見が寄せられたという事実が、ある意味、そういった考えが世にあることを証明しているかもしれません。

そして、正確さとは別のところで、それはそれで正しいのです。人間が完璧に、正確無比に動いたり判断したりできない以上、適度な妥協や許容がなければ、世の中は動きません。

だから、正確さの徹底が、たとえ科学的な態度としては真っ当でも、その場において求められる人間的な正義や都合にはそぐわない――そんなことが、この世では往々にしてあるのです。

……書いていて、嫌な汗が出てきますね！　苦い記憶がフラッシュバックする。

理系として生きていると、「より正しいことを言っているのになんで受け入れてもらえないんだろ?」と頭を悩ませること、たびたびありませんか……？　わたしにはあります。

その場で見えている事実を言っただけのつもりが、「どうしてそんな冷たいことを言うんだ」と悲しまれてしまったり、なるべく正確なことを確認したかっただけのつもりが、「お前には情緒がない」と呆れられてしまったり……。

理系（われわれ）はついつい、正確であることを、イコールで正しいことだと考えてしまいます。ゆえに、より正確であることは、より正しいことだとも思ってしまう。

それが間違っていると言いたくはありませんが、それを求めていない場、あるいは人や文化というものがあるのです。

もし理系がこの世の中で大多数を占めていたのなら、こんなことで悩む必要はあまりなかったでしょう。

しかし悲しいかな、先に述べたとおり、日本社会はそうなっていない。学問の中で学んできた態度や倫理と、実社会の多くの場面で求められるふるまいが一致していないことは、理系にとって、悲しくもわかっておかなければならない現実です。だから我々は、ちょっとだけ生きにくかったりするのです。

3. 理系の文章と、世の中の意識の、本質的なすれ違い

正確さが評価されない。学んできたものと、現実で求められるものが違う――という話は、文章においても言えることです。文章で記される内容そのものもそうですが、なんと、その書き方においても、です。

これはとても重要なことなのですが、理系界隈で良いとされる文章の書き方と、それ以外の場所で良いとされる文章の書き方は、**かなり別物です。**

そして、「理系には文章力がない」という、世の中に広がる誤った通説の原因は、まさにここにあります。……そう、あえて言い切ってしまいますが、**理系に文章力がないなどという認識は、間違っているのです。**

文章力がないのではありません。ただ、その使い方やタイミングが適切でないだけです。

文章には、大きく分けてふたつの種類があります。

・誤解される可能性を過度に恐れず、まずは一人でも多くの人に理解や共感されることを目指すもの

と、

・たとえ理解できる人が少なくとも、絶対に誰にも誤解されないことを目指すもの

です。

理系の人間は、前者の『理解しやすい文章』ではなく、後者の『誤解しにくい文章』の技術を磨く人種です。

これはどうしてかというと、理系が理系として書く文章の数々においては、誤解されうる曖昧な表現が許されないからです。

ある文章を読んだ人が、

「この文章の結論、みんなは○○だって言ってたけど、俺は△△だって思う。あ、考えようによっては□□って解釈もありだなあ」

なんて言ったとしましょう。

これが小説や詩ならば、なにも問題はありません。人によって受け止め方が違う、個人個人が自由に解釈できるというのは、文学作品の持つとてもたいせつな機能のひとつです。

しかし、科学論文や技術書、手順書であったならどうでしょう。――どう考えても、望まれる事態ではありませんね。Aという薬品とBという薬品、どちらを先に投与すべきかは読者の受け止め方次第！……なんて論文や手順書、使い物になりません。誤解を起こしうるのなら、有害ですらあります。

理系が理系として書く多くの文章においては、個人個人が自由に解釈できる余地などというものは、残してはいけません。どんな人が読んだとしても、一意にしか受け止められないような言い方を、徹底せねばならないのです。

そういった、誤解しにくい文章を書くには、いくつかのテクニックや大事な心構えがあります。だれもがすぐにできることでは、決してありません。誤解しにくい文章が書けるというのは、誇るべき立派な文章力です。

でも、じゃあどうして理系は文章力がないと言われているのでしょう?

それは、理系界隈の外側、つまり世間一般における多くの場面では、誤解しにくい文章ではなく、理解しやすい文章の方が評価されるから。

もうすこし言うと、**誤解しにくい文章の技術を、理解しやすい文章が必要なシーンで使ってしまうと、逆効果になるからです。**誤解しにくい文章のための技術と、理解しやすい文章のための技術は、本質的に相反するものなので、文章をどちらか一方に寄せると、もう一方からは離れていくようになっています(このあたりの話については、以降の章で具体的に解説していきます)。

理系の書く誤解しにくい文章は、理解しやすい文章をこそ良しとする世の中の多数派が属する世界では、読みにくい・わかりにくい、イコールで質が低いと言われてしまいます。

だから理系の人間は、世間的に、文章力がないと評価されているのです。

4. 理系界隈にただよう、文章力への諦め

わたしは、中学を卒業してから高専の電気情報工学科に入り、以来、大学院まで理系の世界で育ちました。

その中で得た友人たちの多くは、文章を書くことについて、なんとなくネガティブで自信がなく、「人に見せるのも恥ずかしいから、できることなら避けたい」と考えてすらいるように見えます。

文章をめぐる理系のこんな自意識について、わたしは、大いに問題があると感じています。

理系として過ごしていけば理系としての力が育っていき、誤解しにくい文章を書くスキルも磨かれていきます。

前の節でわたしは、誤解しにくい文章の技術を、理解しやすい文章が必要なシーンで使ってしまうと逆効果になる……と書きました。

文章に対する理系の自意識に悪さをしているのは、主にこの逆効果です。

理系として過ごすと、論文作成などを筆頭に、文章を書く機会がそこそこあります。その度、苦手意識を持ちつつもみんな、自分なりにがんばって文章を書いていくわけです。

書くのは当然、理系として紡ぐべき、誤解しにくい文章。そこで磨かれていくのは、誤解しにくい文章を書くスキル。……そう、（世間一般で評価される）理解しやすい文章とは相反するものを書くスキルです。

大事なことなので、改めてもう一度言います。誤解しにくい文章を書くスキルを、理解しやすい文章が求められるシーンで使うと、逆効果になります。

……なので理系は、**がんばって自分たちなりに文章力を磨けば磨くほど、それを使って自分たちにとって良いものを書けば書くほど、世間一般の方々に文章を読んでもらったときに、「読みにくい」「わかりづらい」と酷評されてしまうようになる**のです。

そうなってくると、「ああ、こんなにがんばって文章を書いても、世間からは悪文とされてしまうってことは、自分には文章を書く才能がないんだなあ」なんて勘違いもしてしまう。

かくして理系はどんどん、文章を書く自信を、ポロポロと心からこぼしていく。

周りから文章力がないと評価され、自分自身でもそう思い込んでしまうとなると、文章を書くことそのものについて、漠然とした諦めが根づいていきます。

やがて書く機会を避けるようになって、結果、**自他ともに認める『文章の書けない・書かない理系』の出来上がり**です。

わたしは、こんなに悲しいことはないと思っています。

もしこの本をお読みのあなたが、理系で、自分には文章力がないと考えているのならば、その思い込みはどうか、今日この時をもって捨てていただきたいです。

あなたには文章力がないのではありません。自分の磨いてきたそれを、使うタイミングが悪かっただけです。

5. 理系が『理解しやすい文章』を書けるようになると得られる、新しい道

この本は、正確さ重視の『誤解しにくい文章』を書いてきた理系の同類たちに、読みやすさ・わかりやすさ重視の『理解しやすい文章』を書くスキルをお伝えする一冊です。

しかし、理系が理解しやすい文章を書けるようになって、良いことはあるのでしょうか？

わたしは、大いにあると思っています。

昨今、ＳＮＳの興隆にともない、個人個人がなにかを発信する機会がグッと増えました。

その方法は、写真も動画もありますし、描ける人は絵も使うでしょう。

ですが、もっとも普遍的で、詳細に物事を伝えられる手段は、やはりいつの時代も文章です。発表場所が学会などではなくカジュアルなＳＮＳならば、好まれるのは、理解しやすい文章。

仕事においても趣味においても、現代ほど、文章力が誰にとっても役に立つ時代は歴史上なかったと思います。

今こそ、世間的に希少な専門知識や技術を持つ理系が、積極的に、理解しやすい文章のための力を磨いて、自らの価値を高めていくべき時代ではないでしょうか。理系少数派のこの社会でも、文章力をつければ、理系の活躍できるシーンは広がります。

実際問題、理系としてのバックボーンを持ちながら文章も書ける、というスキル構成を持った人は、かなり少ないです。もうそれだけで価値があり、いろいろ仕事を任せていただけます。

わたしは現在、小説を書く傍ら、フリーランスでＩＴ企業とお付き合いし、広報として働いて、オウンドメディアを運営したりプレスリリースを書いたりしています。そういったお仕事をさせていただく際にも、やはり、理系としての専門知識があると、より信頼してもらえます。自分自身も、さまざまな面でやりやすいです。

理工系の知識や、技術を取り扱う人間としての基礎教養があることは、文章書きとしてとても貴重で強い武器です。もちろん逆に、文章書き的なスキルを科学者や技術者が持つことも、同様に強力でしょう。

また、そんな個人個人の生存戦略とは別に、理解しやすい文章を書くスキルを、理系の同胞たちにぜひ身につけてほしい理由がもうひとつあります。

それは、誤った情報が拡散されやすい世の中になっているので、正しい知識を持った上で発信力もある専門家が、ひとりでも多くいてほしいことです。

それらしい言葉で編まれた科学に関する誤情報は、時に人の命を奪います。発信力があり、かつ正しい知識を持った専門家は、それらに対抗できうる社会の安全弁です。

本書では、あしたからでもすぐに使えるような、とにかく簡単に習得できるものに的を絞って技術をご紹介します。ライティングの勉強にそこまで時間は割けないけれど……といった、本業のお忙しい方にもお力になれるかなと。

お役立ていただければ幸いです！

2章

理系の文章、**一文が長すぎる問題**

1. 一文が長いと理解しにくい

本書で紹介するのは、理解しやすい文章の書き方。それは、理解しにくい文章の直し方と言っても正しいです。

さてこの章では、理解しにくい文章のひとつにして、わたしの思う代表格、**一文が長い文章**の直し方をご紹介していきます。ここでいう一文は、文章が始まってから句点（。）で区切られるまでのひとまとまりを指します。

一文が長い文章というのは、たとえばこんな感じです。

> 我々が提案するのは、画期的な単位の取り方で、これをマスターすることにより、どんな難しい講義でも確実にD判定を避けることができ、勉学の時間を他の活動に充てられ、学生生活がより豊かになること請け合いなので、ぜひ身につけてください。

どうでしょう、『内容が頭にスッと入ってこない感』、すごくないですか？　読むのが疲れるというか、結局なにを言ってるんだっけ？　と混乱してくるというか。

これは、**一文の長さが原因**です。こう書き換えてみましょう。

> 我々が提案するのは、画期的な単位の取り方。これをマスターすることにより、どんな難しい講義でも確実にD判定を避けることができます。勉学の時間を他の活動に充てられるので、学生生活がより豊かになること請け合いです。ぜひ身につけてください。

グッと読みやすく、意味が飲み込みやすくなったかなと思います（文章の内容自体は、胡散臭くてロクでもないことを言っていますが）。

ところで、どうして一文が長いと読みにくく、そして理解しにくいのでしょうか？

これは、句点で区切られるまでの間は、言葉と言葉が密接につながり合っているからだとわたしは考えています。あるいは、**読む側からすると、密接につながり合っていると仮定して読み進めなければならないから、**とも言い換えられます。

先ほどの例文は、「我々が提案するのは～」というくだりから始まります。以降、文章が句点で一区切り付けられるまで、読者は、読んでいる間中ずっと「我々が提案するのは～」

という文言を、頭の中に置いておかなければなりません。ずっと備えておく必要がありま す。一文中、つまり句点が置かれるまでは、「我々が提案するのは〜」という文言が、どこに係るか決定されないからです。

ほかの文言についても同様です。文が句点で区切られない以上、**一度出てきた文言は、ほかの文言に係る可能性をずっと持ち続けます**。なので、読者はそれをいつでも参照できるよう、頭のいちばん上の方に置いておかなければならない。

そして、文が長くなればなるほど、その置いておかなければならない文言が、どんどん積み上げられていきます。読んでいて疲れますし、最悪の場合、最初の方に出てきた文言を掘り出せなくなって、文章の意味が読みとれなくなります。

これが、一文が長い文章の、理解しにくさの正体です。読む側の脳に、高い負荷をかけてしまうわけですね。

2. どうして理系は一文が長い文章を書いてしまうのか

前節で挙げた例文は、わかりやすいように大げさに書きはしましたが、正直、あれくらいのものなら割とよく見ます。理系界隈において、そんなにめずらしいものではありません。

論文でも技術書でも、技術者のみで構成されるＩＴベンチャーのコーポレートサイトでもよく見ます（ＩＴ企業で広報をやっている関係上、ちょくちょくそういったサイトに訪れる機会があります）。または、スマホアプリのストア紹介文や、アプリ内説明文なんかでもありがちですね。開発者の方が書かれているんだろうな、なんて感じます。

なんならわたしも、デビュー当時、担当編集さんに「ここ、一文がちょっと長いです」と何度も指摘されました。苦い思い出で、ありがたいご指導でした。

一文が長い文章を、理系はかなり書きがちなのです。

これはどうしてかというと、やはり、**誤解しにくい文章を書こうという気持ちがある**

からです。表現の不正確さを嫌っているのです。

句点で切らずにズラズラっと続ける一文中においては、先に述べたとおり、言葉は密接につながり合います。長くなると、読むのに負担はかかります。しかし、きちんと読み込むことができた場合は、どこの言葉とどこの言葉が係っているのか、誤解しないような作りにはなるのです。

対し、文章を切ると、代名詞（彼や彼女、これ、それ、あれなどなど）で切れ目をつなぐことになったりします。問題はここにあって、**代名詞がなにを指しているか、もしかしたら読み手は誤解するかもしれない**のです。それは、事実を正確に伝えることを至上命題とする技術系の文書において、致命的です。

なので、なるべく一文を切らずに続けてしまう。それが理系（われわれ）の本能であり、培ってきた倫理だからです。

今しがた記された文章で例をあげましょう。

> 代名詞がなにを指しているか、もしかしたら読み手は誤解するかもしれないのです。それは、事実を正確に伝えることを至上命題とする技術系の文書において、致命的です。

この文章の『それ』は、直前の文章の『読み手が誤解するかもしれない』ことを指しますが、違う読み方をされてしまう可能性もゼロではありませんよね。

そんな感じの問題、国語のテストでやりませんでしたか？　文章中の『それ』とはなにを指しているか、答えなさい……みたいな。

テストで問題になるということは、間違う人間がいるということです。

一方で、

代名詞がなにを指しているか、もしかしたら読み手は誤解するかもしれないことは、事実を正確に伝えることを至上命題とする技術系の文書において、致命的です。

なんて風に書くと、誤解の可能性は防げます。基本的に、理系の文章においてはこうやって一文が長くなっていきます。

しかしどうでしょう、やはり、誤読しにくくなった分、代わりにグッと読みにくくなったと思いませんか？　理解しやすさが目減りしました。

もっと違った表現をするなら、なんかクドくないですか？

この「なんかクドイ」という言葉、かつて私は何度も何度も言われてきました。そのたび、「正確に書いているのに、なんで文句言われなくちゃいけないんだ」と内心憤慨していました。

しかしこれは、的外れな怒りです。

代名詞を排除し、一文を長くして誤読を防ぐのは、誤解しにくい文章のためのテクニック。理解しやすい文章が求められているシーンで使うべきではないのです。

自分が書きたい文章と、求められている文章が食い違っていないか、都度都度、確認していかなければいけません。

3. 長い文章かどうか判断するための目安

さて、先ほどから『一文が長い文章』という文言を何度も使っていますが、具体的に、長いとはどんな状態を指すのでしょう？　長いかどうか、**定量的に見分けるやり方があれば素敵**ですね。理系向きです。

結論から言うと、あります。それは、読点の数を目安にすることです。

読点とは、『、』のことです。

そもそもわたしは、文章の理解しやすさを語るとき、この読点こそをもっとも重要視しています。目安の前に、すこしその話をさせてください。

読点を適切に打つと、文章は非常に読みやすくなります。読みやすさというのは、文章の理解しやすさにおける、とても大きな要素です。

さて、読みやすいかどうかは、流し読みできるかどうかでわたしは判断しています。

力を入れて「よし、読むぞ！」と意気込まずとも、適当な気持ちでパラパラと眺めただけで、大まかな意味が頭に入ってくる。そんな文章であれば、読みやすいと言っていいはずだと考えているからです（なお、もちろんこれは、その文章が魅力的かどうかとは別問題です）。

では、こんな小さな『、』のあるなしで、そんなに読みやすさ＝流し読みのしやすさって変わるものでしょうか？　試しに例文を見てみましょう。

私は最近キン肉マンにとてもハマっておりあれはすばらしい物語なのでそろそろ義務教育に追加されるべきだと思っている。

どうでしょうか？　流し読みできましたか？

無理だったと思います。一文字ずつていねいに追っていかないと、先の例文は読めません。

どうしてかと言えば、もちろん、読点を使っていないからです。使ったバージョンはこちら。

私は最近、キン肉マンにとてもハマっており、あれはすばらしい物語なので、そろそろ義務教育に追加されるべきだと思っている。

こうであれば、さっきよりスラスラ読めますね。

適切に打たれた読点は、文章の読みやすさを跳ね上げてくれます。書き手にとって、とても心強い存在です。

そして、**読点の使い方を覚えると、今度は句点も上手に打てるようになってきます。**「セオリーに従って打っているのに、ちょっとこの文、読点が多いな。じゃあ、そろそろどこかで句点を打って文を切らなくちゃいけないんだな」とわかるようになるからです。

先ほどの例文で言えば、

私は最近、キン肉マンにとてもハマっている。あれはすばらしい物語なので、そろそろ義務教育に追加されるべきだと思っている。

とすると、より読みやすくなりますね。

一文が長くなってしまっていないか、長くなってしまっているならどこで切るべきか。それが、自分で判断できるようになる。読点の使い方を覚えることで、そんな素敵な能力が得られます。

一文にどれくらいの読点があると多いのか、ということの具体的な目安については、この章の最後に記します（どうして今すぐに書かないのかと言うと、読点を打つルールを知らずに数の目安だけ知っても、意味がないからです）。

4. 今こそ学ぼう、読点の使い方

読点には、「ここに打つといい」と言ったセオリーが存在します。

この本では、その中から9つをピックアップしてご紹介します。セオリーの中でも比較的覚えやすく、そして効果の高いものたちです。

もちろん、**これらはあくまでセオリーであって、絶対的な正解ではない**です。理解しやすい文章を書く上において、これらに従って編むと、読者のニーズに合ったものが出来上がりやすいという話です。

それでは、さっそくいってみましょう！

4-1 セオリーその1：要因と結果の間に打つ

次の例文、あなたならどこに読点を打ちますか？

例

普段から勉強をサボっていたので私は単位を落としてしまった。

どうでしょう？　あまり迷わないかなと思います。

セオリーではどうか見てみましょう、こちらになります。

例

普段から勉強をサボっていたので、私は単位を落としてしまった。

大切なのは、どうしてここに打ったか説明できるようになることです。どうしてここに打つべきなのでしょう？

答えは、**ここが要因と結果の間だから**です。

『普段から勉強をサボっていたので』が、要因。『私は単位を落としてしまった』が、結果ですね。

というわけで、

●セオリーその1：要因と結果の間に打つ

です。

数ある読点の中でもぜひ最優先で打ってほしいくらい、非常に重要なセオリーになります。

空白に近い見た目を活かし、文中の要素を視覚的に分ける——これは、読点の持つとても強力な効果のひとつです。

デザインの分野には、関係性の強いものは近づけて配置する、弱いものは遠ざけて配置する、という近接の原則があります。このセオリーその1の読点は、まさにそれを行っています。

要因の部分と結果の部分の間に距離を作って、相対的に要因同士、結果同士がまとまって見えるようにしているわけです。

文章において、要因と結果の組み合わせで出来ている構造は、典型的であり、よく出てきます。なので、そのふたつを視覚的に切り分ける読点の使い方をマスターするのは、とてもオススメです。

さて、要因と一口に言っても、細かく分ければいくつかの種類があります。

具体的には、

- 理由、原因
- 状況
- 仮定
- 条件、前提

などなどです。

ほかの教本ではこれらを『要因』とはくくらず、ひとつひとつ別の読点の使い方として説明することが多いようです。しかし、それでは覚えるのが大変なので、わたしは『要因』という考え方でくくってしまうことをオススメします。

では、具体例をあげてどんどん見ていきましょう！　それぞれ、どこに読点を打つかぜひぜひ考えてみてください！

例

〈理由、原因〉

普段から勉強をサボっていたのでわたしは単位を落としてしまった。

〈状況〉

落とした単位を探しに行くと過酷な世界が待っていた。

〈仮定〉

すべての単位を落としたときぼくは無に還る。

〈条件、前提〉

きちんと勉強するならばやがて単位は戻るだろう。

セオリーを使用するとこんな感じになります。

例

〈理由、原因〉

普段から勉強をサボっていたので、　わたしは単位を落としてしまった。

〈状況〉

落とした単位を探しに行くと、過酷な世界が待っていた。

〈仮定〉

すべての単位を落としたとき、ぼくは無に還る。

〈条件、前提〉

きちんと勉強するならば、やがて単位は戻るだろう。

また、〈理由、原因〉の亜種として、逆接の後ろにも同じように読点を打ちます。

〈例〉

普段から勉強をサボっていたが、ふしぎと単位はやってきた。

みたいな感じですね。

4-2 セオリーその2：長くなった主語の後ろに打つ

次なるセオリーにいきましょう。例文をご覧ください、どこに読点を打ちますか？

〈例〉
テスト前もがんばらなかったわたしは単位を落としてしまった。

打てましたか？　セオリー適用後を見てみましょう。

〈例〉
テスト前もがんばらなかったわたしは、単位を落としてしまった。

となります。これは、

●セオリーその2：長くなった主語の後ろに打つ

です。

こうする一番の理由は、どこまでが主語なのかをはっきりさせるためです。主語が長くなってしまっても、最後に読点を入れれば、「ここまでが主語です」と示せます。

さらに、読点には前後の単語を目立たせる効果もあります。ささっと流し読みしていただければわかると思うのですが、**文章の中で目立つのは文頭と文末、そして読点の前後**です。

主語が長くなった状態で読点を打たずにいると、主語における『ぼく』や『わたし』といった核となる単語が、文中に埋もれてしまいます。読者からすると、見つけるのがむずかしくなります。

なので、『ぼく』や『わたし』の直後に読点を打ち、見つけやすくしてあげると良いのです。

ただ、このセオリーその2を使うにおいては、注意点があります。それは、**セオリーその1が適用できるのであれば、必ずそれを打ってから使うこと**です。

> 例：読点なし
>
> 普段から勉強をサボっていたのでテスト前もがんばらないわたしは単位を落としてしまった。

この例文には、セオリーその1とセオリーその2の両方を使えます。こうなりますね。

例：**セオリーその1＋セオリーその2**

普段から勉強をサボっていたので、テスト前もがんばらないわたしは、単位を落としてしまった。

ずいぶん読みやすくなったかと思います。しかし、ここでセオリーその2だけ使ってしまうと、

例：**セオリーその2だけ**

普段から勉強をサボっていたのでテスト前もがんばらないわたしは、単位を落としてしまった。

こうなってしまいます。これはかなり読みにくいです。主語が異様な長さになって見えてしまいます。

ぜひ、ちょっと気をつけてみてください。基本的に、セオリーその1は他のどの読点よりも優先して打っていただいて良いかと思います。

4-3 セオリーその3：述語と離れている主語の後ろに打つ

次です。どこに打つでしょうか？

例
猫は向こうにある四角いテーブルの上に跳び乗った。

ちょっと迷うかもしれませんね。これは、ここに打ちます。

例
猫は、向こうにある四角いテーブルの上に跳び乗った。

どうしてここに打ったのでしょうか？　セオリーとして確認してみましょう。

今回は、

- **セオリーその3**：述語と離れている主語の後ろに打つ

となります。

理屈としては、セオリー2と同じようなものです。読点を打つことで、主語がどこからどこまでなのかはっきりさせています。

主語とそれが直接かかる述語（この場合は『猫』に対する『跳び乗った』）の間にたくさんの要素があると、パッと見てどこまでが主語だかわかりにくくなります。

そうなると、一文字一文字をしっかり読む必要が出てきて、流し読みができなくなるわけです。

だから、主語の直後に読点を打ち、文を区切ってわかりやすくすると効果的です。

4-4 セオリーその4：長くなった目的語の後ろに打つ

セオリーその4にいきましょう。これは、またちょっとややこしいかもしれません。

〈例〉

あまりにも辛いカレーライスの味にわたしは文句を言った。

どこに打つか決められたでしょうか？　セオリーを使うと、このようになります。

例

あまりにも辛いカレーライスの味に、わたしは文句を言った。

主語が長い文ではないことに注意してください。「あまりにも辛いカレーライスの味にわたしは」が主語なのではなく、あくまで「わたしは」だけが主語です。

そのため、

・セオリーその2：長くなった主語の後ろに打つ

の使用タイミングではありません。

この文に適したセオリーは、

・セオリーその4：長くなった目的語の後ろに打つ

となります。

目的語とは何かというと、「〇〇を」「〇〇に」における〇〇部分を指します。例えば「服を着る」「裸になる」では、それぞれ服と裸が目的語です。

これもやはり、どうして読みやすくなるかの理屈はセオリーその2、3と似ていて、どこまでが目的語なのかはっきりするからです。

では、セオリーその3で出てきたこちらの文章は、どう考えたらいいでしょうか。

〈例〉
猫は向こうにある四角いテーブルの上に跳び乗った。

ここでは、「向こうにある四角いテーブルの上」が目的語になっています。

であれば、

〈例：**セオリーその4使用**〉
猫は向こうにある四角いテーブルの上に、跳び乗った。

とするべきでしょうか？　でもこの文章、読みやすいですか？

わりと読みにくいかと思います。やはりこれは、

例：セオリーその3使用

猫は、向こうにある四角いテーブルの上に跳び乗った。

とするのがベストです。セオリーその3とセオリーその4であれば、3の方が優先度は高い……いいえ、正直かなりケースバイケースなので、ちょっと断言は難しいかも。

例：セオリーその3＋セオリーその4

猫は、向こうにある四角いテーブルの上に、跳び乗った。

これはどうでしょう？　ここまでていねいに読点を入れるのは、ちょっと好みが分かれそうですね。わたしは少々くどいかなと感じます。

この例でわかるのは、使用できるセオリーをすべて使用すれば良いわけではないことです。セオリーを使えるようになったら、今度はどれを優先して使うべきかで悩むようになるのです。**そして出した答えが、書き手の文体を作っていきます。**

一時的には、文章を書くスピードは落ちるでしょう。ですが、悩めば悩むほど、文章力は確実に上がっていきます。ぜひ、大いに悩んでみてください。

余談になって恐縮ですが、わたしはそうやって悩む時間が大好きです。

4-5 セオリーその5：述語と離れている目的語の後ろに打つ

さて、セオリー5つ目ですが、実はセオリーその2〜4から予想ができます。

- **セオリーその2：**長くなった主語の後ろに打つ
- **セオリーその3：**述語と離れている主語の後ろに打つ
- **セオリーその4：**長くなった目的語の後ろに打つ

パターン見えるでしょうか？　こうなります。

- **セオリーその5：**述語と離れている目的語の後ろに打つ

では、例文をあげてみましょう。

〈例〉
学校に仲良くなったかわいい転校生と行く。

という文章であれば、

〈例〉
学校に、仲良くなったかわいい転校生と行く。

となります。

「学校に」と「行く」の間が離れていて、どこまでが目的語かパッと見ではわからなくなってしまうので、読点を打ってわかりやすくしています。セオリーその3と同じですね。

なお、これはちょっと悪文ではあります。例としてあげるためにわざと作りましたが、

本来は、

〈例〉
仲良くなったかわいい転校生と、学校に行く。

という語順にすべきかもしれませんね。

でも、文章を組んでいると、都合上どうしても語順をいじれないときもあります。たとえば、関係者が多く、すこしいじるだけで各所と調整をしなければならないようなテキストは、それに当てはまるでしょう。わたしの仕事で言えば、他社と協業して挙げた成果をご紹介するプレスリリースなんかでは、文の構成を大きくいじるのは大変だったりします。

次善策として、せめて読点ですこしでも読みやすくする手段を手札に持っておけると、これでなかなか心強いです。

4-6 セオリーその6〜9を一挙紹介！

6番目までできました。

残り4つはとても簡単なので、一気に紹介してしまいます！

●セオリーその6：並列要素の間に打つ

〈例：単語の場合〉

国語、数学、理科、社会、英語、そしてキン肉マンだ。

〈例：短い文の場合〉

力が強く、体も大きく、メンタルもタフ。

- セオリーその7：時間を表す言葉の後ろに打つ

〈例〉

- 近年、悪魔超人の株が上がっている。
- 最近、都は騒がしい。
- 6月12日、ついに発売！

- セオリーその8：独立語の後ろに打つ

なお、独立語とは、文中のほかの言葉から独立し、それ単体で意味を持つ言葉を指します。と、言われてもよくわからないですよね。わたしもこの説明だけだと「?」です。例を見るのが早いかと思います。

例

- もしもし、お電話代わりました。
- はい、承りました。

この場合、「もしもし」や「はい」が独立語です。

- **セオリーその9：接続詞の後ろに打つ**

例

そして、時は動き出す。

4-7 ここまでのおさらい

おさらいしましょう。

- セオリーその1：要因と結果の間に打つ
- セオリーその2：長くなった主語の後ろに打つ
- セオリーその3：述語と離れている主語の後ろに打つ
- セオリーその4：長くなった目的語の後ろに打つ
- セオリーその5：述語と離れている目的語の後ろに打つ
- セオリーその6：並列要素の間に打つ
- セオリーその7：時間を表す言葉の後ろに打つ
- セオリーその8：独立語の後ろに打つ
- セオリーその9：接続詞の後ろに打つ

以上が9つのセオリーです。

読点の打ち方の中でも重要で、かつ身につけるのが簡単なものを選びました。ぜひぜひ使ってみてください。

それから、大事なことがもうひとつ。

考えて読点を打つようになると、その文章が読みやすくなるだけでなく、文章力自体が上がります！

なぜなら、読点を打つために「この文章、どこまでが主語になってるかな」などと考えるようになれば、文章の構造を捉える力が自然と鍛えられるからです。

そういった意味でも、読点についてきちんと学ぶことは、とても意味があるのです。

4-8 表現のための読点：読点一個で印象がここまで変わる！

読点の打ち方というのは、本当に奥が深い話です。今回紹介した、基本となる9つのセオリー以外にも、さまざまな技術があります。

ぜひ、「なんかこの文章好きだなあ」というものを探して、そこで使われている読点の打ち方を参考にして、いろいろ試してみてください。

今回の9つのセオリーは、どれも読みやすさ、つまり『理解しやすさ』のためのものでしたが、**表現のための読点**というのも存在します。

〈例〉

美しい夜のことだった。

こういった文があったとします。あっさりした、普通の文ですね。これをもっとキャッチーにしたい、印象の強い文章にしたいと思ったとき、

〈例〉

美しい、夜のことだった。

こんな風にするのはどうでしょう？

一拍ためて、より力を入れて気持ちを籠めて、心から本当に美しいと思って言っているような感じになったと思いませんか？　読点たった一つだけで。

読点は、さまざまな力を持つとても重要なツールです。

4-9 一文に読点4個は『長すぎる文章』

最後に、一文中に入る読点の数について、その目安をご紹介します。

ここに来るまでで、基本的な読点の使い方をもう学習してくださったので、以下の表が使えるようになります。

0個：短めの文章。
1個：普通の文章。
2個：長めの文章。
3個：長い文章。句点で区切れないか検討してみる。
4個：長すぎる文章。ダメではないけれど、なるべく句点で区切りたい。
注）並列要素を区切る読点（セオリー6）に関しては、何個あっても1つとカウント

4個がラインです。これはわたし個人の感覚でもそうですが、もの書きの界隈全体でも、おおむね同じラインを採用している方が多いように思います。

その証拠に、文賢という校閲ツール（文章の誤りなどを機械的にチェックしてくれるツール）では、一文中に4個以上の読点を打っている文章に対して、やはり警告が出ます。付記してあるとおり、4個を超えたら絶対にダメ、というわけではありません。実際、本書の中でも、読点4個の文はいくつかあります。

長いのは間違いないので、長い文章を書いているという自覚を持って、それを良しとすべきかどうかをちゃんと判断することが大切です。

先に紹介した、表現のための読点などの例外はありますが、読点は基本的に『要素のまとまり』と『要素のまとまり』の間に入ります。

なので、読点が多すぎるというのは、一文中にたくさんの要素を詰め込みすぎていることを示します。だから、読点の数を目安にして、多すぎる場合は一旦どこかで文を切ると効果的です。

理系の書く文が持つ、『一文が長い』という特徴。誤解しにくい文章を書くときには良いのですが、理解しやすい文章には不向きです。

この章で得たテクニックを使って、ぜひ調整してみてください！

3章

理系の文章、**字面の圧が高すぎる問題**

1.『字面の圧が高い』とは

この章では、『字面の圧が高い』文章について、その問題点や直し方をご紹介していきます。

字面の圧が高いとは、どういうことか。例文を見てください。

> 彼処に在る服は、私の荷物だ。

文章全体をパッと目にしたとき、読んでみようという気になりましたか？　あんまりならなかったと思います。

なんかむずかしいことが書いていそうな、読むのにエネルギーを使いそうな印象がある。読もうという気がなんとなく起こらない。そういう文章になってしまっています。

でも、これって、実際はむずかしいことはまったく言ってないですよね。ちょっと書き換えてみましょう。

あそこにある服は、わたしの荷物だ。

こうしてみると、拍子抜けするくらい普通の文です。内容はいじっていません。単語の表記を変えただけです。

読者に内容をわかってもらうには、当たり前ですが、まず読んでもらわなければなりません。**なので、パッと見の印象で「うっ、これ読みたくないなあ」なんて思わせてしまうのは、致命的にまずい**です。

どれだけ内容がすばらしくとも、そもそも読んでもらえなければ、なんにもならないのですから。読まれなかった文章は、批判の対象にすらなりえません。

もし読者が我慢強い人で、なんとか読みはじめてもらえたとしても、読んでいる間ずっと心理的にストレスをかけることになります。それはやはり、理解の妨げになるでしょう。

なので、**理解しやすい文章とするためには、漢字の多さを調整して、字面の圧を下げる必要がある**のです。

なお、漢字で書ける字をひらがなにすることを、**漢字を開く**と言います。

もちろん、圧を下げたいからと言って、とにかく開けば良いというものでもありません。

さきほどの例文を、

あそこにあるふくは、わたしのにもつだ。

として、理解しやすいかと言えば、やはり否です。漢字ばっかりもひらがなばっかりも読みにくいので、適度なバランスに整えなくてはいけません。

整えるという行為には、どんなときもテクニックが必要です。この章では、それをご紹介します。

2. 理系は漢字を使いがち

漢字とひらがなは、文中においてどちらも適度になくてはならないのですが、現代はどちらかと言うと、漢字過多に偏りやすくなっています。この事実は、ぜひ意識していただくことをオススメします。

なぜそうなっているかと言えば、文章を書くとなると、もうデジタルデバイス上で行われることが多く、簡単に変換ができてしまうからです。

手書きでは、書きたい漢字を正確に覚えている必要がありますし、覚えていても画数が多いと面倒だったりします。しかし、パソコンではスペースキーを押せば一発で変換でき、スマホでも、自動的に出てくる候補をタップするだけです。

すると、**書き手の心理として「漢字に変換できるのなら漢字にした方が良いよな」と無意識に思ってしまい、ついつい漢字にしてしまう**わけです。

そんな現代人の中でも、**理系は特に漢字を使いがちな人種**ではないかなと、わたしは思っています。

要因としては、やはり、誤解しにくい形に徹底しようとする文化が挙げられるでしょう。漢字を開く（おさらい：漢字で書ける言葉をひらがなにすること）と、**同音異義語や同訓異字が誤解の元になってしまいます。**できる限り誤解のない表記としたいのであれば、できる限り漢字にすべきなのです。

たとえば、以下の文。

おごるのは悪いこと。

奢ると**驕る**の可能性が考えられますね。こういったことは、理系界隈で求められがちな、読者になんとしても誤解してほしくない文章においては、避けるべきです。

さらに言えば、理系は漢語（漢字の熟語）もよく使います。次の文を見てください。

全員を救う手段などありません。
全員を救済する手段など存在しません。

手癖で書いてしまうことが多いのは、果たしてどっちでしょうか？　結構、後者の方を書いてしまいません？　個人的に、これはかなり純度の高い理系あるあるだと思っています。

前者のような書き方が優れている、と言いたいわけではありません。ただ、もし、より誤解しにくい文章を書きたいのであれば、そのときは後者を選ぶべきです。

たとえば、

正確な行動が人間に可能だろうか。

という文章を、

正しい行いが人間にできるだろうか。

と書き換えたとしましょう。読みやすくはなったと思いますが、これ、「正しい」が怪しくなります。

元の文章では**正確**の意味でしたが、書き換えたあとの文章では、**正義**の意味にも読めてしまいます。

こういったことが起きるので、誤解しにくい文章を書きたいなら、なるべく漢語を使うべきです。


なんて世界観の中で生きているので、漢字だらけの文章に、そんなに忌避感を覚えなかったりするんですよね、我々。そのせいで、「字面の圧が高いなあ」と感じる閾値が、ほかの文化圏より高めです。

いざ自分が書き手になったときもその感覚が染みついているので、やっぱりついつい漢字や漢語をふんだんに使ってしまう。

誤解しにくい文章を書くときはいいのです。

……が、理解しやすい文章を書かなければならないとき、**理系の持つこの下地は、それはもう盛大に足をひっぱります。**

たとえば、とても極端な例を挙げると、

みんな、やる気なくなっちゃったね。

というなんの変哲もない文章。これを、

同時多発的自発性喪失が発生したね。

とか言い換えてしまえる文化が、我々にはあるわけで……。
万人受け、というか、常人受けはしないですよね、やっぱり。

3. 漢字を使うというコスト

漢字が多いほど、文章はパッと見の密度が濃くなってしまって、読者からすると、とっつきにくくなります。むずかしそうな文章に見えるというだけで、読む気というのはなくなります。

どれだけ文章の構造が巧みでも、言葉えらびに配慮が満ちていても、不必要に漢字まみれでは読んでもらいにくいし、読みにくい。理解してもらいにくいのです。

なので、なにも考えずにとりあえず変換して漢字にする、というのは、たいへんまずいです！

漢字とひらがながちょうど良いバランスになったところが、読みやすさ最大の状態。でも、これまで述べたように、現代はついつい漢字にしてしまいがちです。

なので、**漢字を使えば使うほど読みにくくなる**と大げさに考えるくらいで、ちょうどいいかもしれません。

大まかな方針として、迷ったらひらがながオススメです。

なにも考えなければ漢字にしてしまうので、**迷ったときは、開いてひらがなにする**と決めておくと、そこそこバランスが取れるのです。

逆に言うと、漢字で書くことについては「字面の圧を高めてまで、この言葉は漢字で書かなければならないか」を、常に考えるようにしていきたいです。

漢字で書いた場合、以下のリターンが得られます。

・同音異義語、同訓異字との誤読を防げる
・その姿や形で、言葉の印象を強くできる
・文字数を節約できる
・文章のトーンを硬くできる

4番目については、デメリットでもありますね。格調高くするためには有効ですが、親しみやすくするためには逆効果です。

字面の圧を高めるというコストを支払ってまで、これらのリターンを得る必要があるかどうかを考え、漢字は使っていきたいです。

漢字は、使うたびにコストを支払っている――この意識があるかないかで、アウトプットされる文章の質はかなり変わります。

では、漢字の開き方に絶対的な正解はあるのでしょうか？

結論を言えば、ありません。あるのは正解ではなく、最適です。読まれるシーンや読者層に合わせ、どんな硬さ、あるいは親しみやすさの文章が最適か考えることが、大切になってきます。

話をまとめましょう。理工系の人間は、正確性を重んじる世界に住んでいるため、漢字をふんだんに使った文章に常日頃から触れています。そのせいで、字面の圧が高いと感じるまでの閾値が、ほかの文化圏の人たちよりもちょっと高め。

なので、理解しやすい文章を書きたいときのため、自覚的に漢字を開く意識と技術を、ぜひ身につけていただけたらなと思います。

4. 漢字の開き方

4-1 開くことを強くオススメする言葉たち

漢字の開き方に絶対的な正解はないと述べましたが、とはいえ、『どんな文章でもだいたいはもう、ひらがなに開くことが推奨される言葉』はあります。

まずは、それらをちょっとご紹介します。

以下の言葉たちを見てください。

- 然し
- 故に
- 即ち
- 但し
- 或いは

・尤も

これ、読めました？　正解は次のとおりです。

・然（しか）し
・故（ゆえ）に
・即（すなわ）ち
・但（ただ）し
・或（ある）いは
・尤（もっと）も

読めないものもあったかと思います。

これらのような**接続詞**は、ひらがなとするのが推奨です。理由は、抑読めないものが多いからです。

……抑、読めました？　これは『抑（そもそも）』です。これも接続詞の一種ですね。

さて、次です。

- 確り
- 暫く
- 勿論
- 態々
- 随分

どうでしょう？　正解は、

- 確（しっか）り
- 暫（しばら）く
- 勿論（もちろん）
- 態々（わざわざ）

・随分（ずいぶん）

です。

これら**副詞**もまた、ひらがなを推奨します。理由は接続詞と同様、読めないものが多いからです。

また、挙げた例で言えば、画数が多いのも気になりますね。画数の多さは字面の圧に直結するので、注意したいです。

4-2 開くことをオススメする言葉

接続詞や副詞ほどではありませんが、わたしとしては常に開くことをオススメする言葉が、ほかにもあります。

まず、

君に言いたい事がある。

のような文における『事』です。

君に言いたいことがある。

こうしたいわけです。

この『こと』のような言葉は、**形式名詞**というものの一種です。前の文章を名詞化するために使われます。

「君に言いたい」を直接「ある」へかけてしまうと、「君に言いたいがある」となってしまい、日本語として成り立ちません。

そこで、『こと』を入れて「君に言いたいことがある」とし、文章を成立させている形になります。

あくまで文章を整えるために置くのが第一義であり、**『事』という漢字が持つ本来の意味合いは薄くなっています**。つまり、せっかく漢字を使っても、漢字から想像される意味と実情にズレがあるので、あまり旨味がないんです。

これでは、字面の圧が高くなることと、リターンが釣り合いません。なので、ひらがな表記を推奨します。

なお、形式名詞には以下のようなものがあります。

- 事——こと（例：言いたいことがある）
- 通り——とおり（例：以前伝えたとおりに）
- 時——とき（例：彼に会ったときも）
- 所——ところ（例：詳しく調べたところ）
- 共——とも（例：疑いがあるとともに）
- 他、外——ほか（例：拿捕するほかにない）
- 物——もの（例：考えないものとしよう）
- 訳——わけ（例：ダメだったというわけだ）

ただし、形式名詞の用法でない場合は、もちろん話は違ってきます。たとえば、

・事を構える
・物より思い出

などの場合は、形式名詞ではなく漢字本来の意味合いで使っているので、漢字表記がオススメです。

それから、形式名詞でなく**補助用言**というものも、同じくひらがな表記を推奨します。

そこに書いて有る。

の「有る」などです。

補助用言とは、ほかの言葉にくっついて補助的に用いられる言葉です。やはり漢字本来の意味が薄くなっているものが多く、漢字にする（字面の圧を高める）リターンが少ないと言えるでしょう。

・書いて有る
・聞いて居る
・認め無い
・そう成るだろう
・運転出来る
・ご連絡下さい
・来て頂く

であれば、

・書いてある
・聞いている
・認めない
・そうなるだろう
・運転できる

・ご連絡ください
・来ていただく

こうしたいです。ぜひ見比べて、どちらがとっつきやすいか確認してみてください。

ただし、(形式名詞でも同じような話があったように)補助用言の形でない場合は、やはり話が違ってきます。

・家が出来る
・星空を頂く(戴く)

みたいなときですね。漢字本来の意味で使っていますので、この場合は開く必要はないかと思います。

4-3 開いてみてもおもしろいかも、な言葉たち

どんなときもオススメできる……わけではありませんが、もし、より親しみやすさ、やさしさ、やわらかさを文章に与えたいと思ったら、開くことに挑戦してみてほしい言葉があります。

私の恋は、明日、きっと終わるだろう。
わたしの恋は、明日、きっと終わるだろう。

このちいさな工夫だけで、印象、結構変わりませんか？

『わたし』や『ぼく』などの一人称は、開くとかなり文章にやわらかさが出ます。かならず良くなる、と言ってるわけではありません。ただ、手触りのやわらかい方が良い、という文章を書くとき、試してみる価値が大いにあります。

なお、この本はどうか気軽に読んでほしいので、実際に、『わたし』と開いて書いています。

さらにちょっと変えてみましょう。

わたしの恋は、明日、きっと終わるだろう。
わたしの恋は、あした、きっと終わるだろう。

どうでしょう。また印象が変わりましたね。

『きのう』『あした』『あさって』は、開いてみると、いい感じにやさしくなります。『きょう』だけは、わりと違和感が強く、個人的には開かないのですが。

ほかにも、ご紹介したいものがあります。

一つ、裏切らないこと。二つ、嘘をつかないこと。
ひとつ、裏切らないこと。ふたつ、嘘をつかないこと。

なんていう、数を数える言葉のうちの、特に『ひとつ』『ふたつ』。開くと、フッと体温が宿る言葉として、わたしはとても気に入っています。

似たようなところで『一人』『二人』も『ひとり』『ふたり』と書くことが多いです。

4-4 大切な考え方と、とっても便利なツールについて

ここまでに挙げたものたち以外に関しては、かなりケースバイケースです。

大切なのは、読者の年齢層や読まれるだろうシーン、醸したい文章の雰囲気などなどを考え、漢字にするかひらがなにするか、最適なものを選ぶ姿勢です。


この章を読み終わったあと、世の中にある文章を見る視点が、また変わってくると思います。

上手な書き手の漢字の開き方は、ほんとうに美しいです。ぜひ、いろいろ読んで、ご自身の感性に合う開き方を集めてみてください。

わたし個人が勝手に持っている印象ですが、漢字の開きについてもっともテクニックを持っているのは、コピーライターの方々なんじゃないかと思います。

広告コピーは、注意して見てみると、かなりおもしろいです。「ああ、この言葉をひらがなにすると、こんな手触りになるんだ！」と、新鮮なおどろきと知見が得られます。

とても有名でわたしも大好きなキャッチコピーにて例を挙げるなら、

やがて、いのちに変わるもの。（ミツカン）

でしょうか。『命』ではなく『いのち』と開いています。こうすることで、よりやさしくて愛おしく、そして生命の根元に近い印象になっていると思いませんか？

わたしも広報としての仕事で広告コピーを書いたりするのですが、勉強すればするほど、本職の方々はすごいなあと感心してしまいます。

コピーライターの中には、ブログで情報発信をされている方々もいらっしゃいます。ブログの長文の中でもやはり、漢字の開き方には磨き抜かれた技術が光っており、勉強になる実例として、とてもオススメです。

……とはいえ、この本の想定読者さんは、理系の民です。つまり、文章書きをメインのお仕事にしている方々ではない。

漢字の開き方について自分なりにしっかり研究していくのは、本業がいそがしい中では、むずかしいかなと思います。

正直、ひとつひとつ、自分の頭で考えるのは大変ですよね？

また、どれをひらがなにしてどれを漢字にしたか、全部覚えておかないと表記ゆれの原因にもなってしまいます。

なので、**一から自分でルールを作るのではなく、出来合いのものをベースにして適宜それをカスタマイズするのがオススメ**です。

出来合いのものとはなにか？　それは、**用字用語集**と呼ばれる本です。これは漢字表記、これはひらがな表記、これはカタカナ表記……ということが、たくさんの語に対してひたすら記された書になります。

もっとも有名なのは、共同通信社から出ている『記者ハンドブック』でしょう。主に新聞記者さんたちのために作られたものですが、他の職種・業種においても、ライター界隈では広く使われています。

しかし、個人的にもっともオススメするのは、『ＮＨＫ漢字表記辞典』です。『記者ハンドブック』よりもひらがな表記とする語が（おそらく）多く、よりやわらかい・やさしい印象を重視した用字用語集となっています。

また、本のはじめに、ひらがな・カタカナ・漢字の振り分けについて、基本方針や原則がはっきり示されていることも、オススメする理由のひとつです。ルールに納得した上で使えるので、気持ちが良い。

たとえば、漢字についてなら、「原則として常用漢字表に登録された漢字などを使用する」というルールがきちんと書いてあります。そして、そのルールを外れる例がいくつかあることも説明されています。すばらしい……！

文章を書くのなら、手元に一冊置いておいて絶対に損をしないツールです。

4章

理系の文章、なんか冷たいと言われてしまう問題

1. 冷たいと言われがちな理系の悲しさ

「冷たい」と言われたことはありませんか？　培ってきた良心にしたがって、正直に誠実に一所懸命にメッセージを送ったら、なぜかそんな風に思われてしまったことはありませんか？

たとえば、以下のようなお話。


「パソコン直してくれてありがと〜、これでもう絶対だいじょうぶだよな」

「絶対ではない。今回の不具合の原因は潰したけど、他の部分で問題が起こる可能性があるから」

「え、今度、あのパソコン使って発表やるんだけど、ヤバイかな……？」

「ヤバイという言葉の定義による」

「…………」

こんなやりとりに心当たりは？　わたしはあります。嫌な汗が出てきた！　つくづく、執筆中にこんなに嫌な汗の出る本ははじめてです。積んできた業が襲ってくる。

理系の説明はとかく、冷たいと言われがちです。これはどうしてなんでしょうか。いちばん大きな原因はやはり、これまでも再三ご説明してきたように、理系が一般の方々よりも正確さをとても重じていることにあります。

その最もわかりやすい例は、**絶対**という言葉の取り扱いです。

理系は、絶対という言葉を基本的には使いません。なぜなら、絶対なんて（それこそ絶対に）ないからです。

ものすごく極端な例を挙げます。

「この装置、これだけ強く固定すれば、絶対ここから動かないよね？」

と言われたとしましょう。しかし、動くどころかその装置が次の瞬間、隣の部屋にテレポーテーションすることだって、量子力学にたどり着いた現在の人類は、決して否定し切れないのです。可能性は、非常に非常に非常にわずかですが、確かに存在します。

だから、自分から絶対とは言わないし、他の人からそう確認されても、絶対ではないと答えます。

理系のできる、絶対にいちばん近い表現としては、

その可能性が極めて高いと現状では判断している。

などになるでしょう。これがほぼ限界値ですよね。

理系界隈で過ごしていると、こういった表現を、特におかしいとは思わなくなります。というか、なるべくこういう風に正確に言うのが、倫理的に正しいことだと考えます。そんな教育を受けています。

しかし、**この表現の仕方は、理系界隈以外からはすこぶるウケが悪い**です。

残念ながら、なんと、「歯切れ悪くモゴモゴと言葉を並べ、断言を避けている」ような、冷たい、あるいは責任を取ろうとしない人間の態度だと思われます。

歯切れが悪い、冷たい、責任感が薄い……そういった反感を覚えられると、頭ではどうであれ相手の心が拒否してしまい、こちらの説明を聞いてもらえません。そしてもちろんそれは、文章においても同じです。

誤解しにくい文章のためにはいいのですが、理解しやすい文章とするためには、相手の心が理解を拒むような言葉づかいは、悪手になってしまいます。

2. 理系の責任感は、他の文化圏からは無責任に見える？

理系の体には、正確性の大切さが、倫理観のレベルで刻まれています。ゆえに我々は、明らかでないことについては断言を避けようとします。確たる情報もないのに強い言葉で言い切るのは、はなはだ無責任な態度だからです。ところで、次の例文をみてください。

「できる限りで努力はするが、絶対にだいじょうぶとは保証できない」
「死ぬ気でがんばる、だから絶対にだいじょうぶだ！」

どちらの方が、**責任感のある態度**に見えますか？
理系からすると、前者でしょう。十分な確証がないのであれば、いくらそう言ってしまいたくとも、言ってはいけないのです。相手に不正確な情報を与えることになるので、避けるべきです。

一方、一般的にはどうかというと……これは、後者になるでしょう。仕組みとしては、「言い切れる材料はないが、それを承知の上であえて言い切る」ことに、事態への積極性というか、主体性を感じられるからでしょうね。

感情はさておき、論理的に十分な確証がないと判断できるのであれば、そう言うべき。それが責任感のある態度……と考える理系社会。

対し、論理はさておき、自らの意思の表明や聞いている人間の安心のために、あえて不確実なことでも言い切るべき。それが責任感のある態度……と考える一般社会。

このすれ違いは、知っておくと悲劇がいくらか減ります。

なお、ちょっと話題が逸れますが、理系と一般社会では話が逆転してしまうという例は、有名なものが他にもあります。

可能性はゼロではありません。

という言い回しをどう思うかです。

これ、理系的には、

「もうゼロと言い切ってしまいたいし、それでもいいはず。でも、小さな小さな要因たちをきちんと考慮に入れれば、完全にゼロとまでは言い切れないから、一応こう言っておかなきゃ。いやもう、現実的にはほぼゼロなんだけども……」

という意味の言葉です。

一方、一般社会においてこの言葉は、

「希望はまだある。もしかするとそうなるかもしれない、そうなってもおかしくない」

的な意味合いで使われています。

専門家によるこの表現を使った解説を受けて、一般の方々が「可能性はゼロじゃないってことですもんね！　やる価値はありますよね！」的な反応をしていたりするのを、テレビでもネットでもたまに見ます。これ、事態としてはかなりよろしくないですよね。

閑話休題。

理系が己の倫理観にしたがって動いて、責任ある言動をしようとしても、一般社

会の中では逆の姿に映ります。

もちろん、理系側のやり方がまちがっていると言いたいわけでは決してありません。正確な表現をしなければならない場、すなわち、感情がどうあれ不正確な情報を与えるわけにはいかないシーンにおいては、その説明こそが必要とされます。

ただ、いつでもそれが必要かどうかは、考える余地があります。

3．正確さのために言葉を足すのは、はたしていつでも正しいことか

なにかを説明するときに、「正確な言い方であればあるほど良い」と、考えてしまいがちな理系。

しかし、正確さを過度に追い求めるべきではないことを、我々は本来、よく知っているはずです。

たとえば、日曜大工をしていて、マイクロメートル単位まで正確さにこだわるのは正しいことでしょうか？　正確であればあるほど良い、と言えるでしょうか？

これは否でしょう。なぜなら、**我々のリソースは無限ではない**からです。

使える金銭も時間も資材も限られています。であるならば、どこかで、消費されるリソースと成果物に求める正確さのバランスを取らなければならない。

「無制限に成果物の精度を上げても、割いたリソースにリターンが釣り合わなくなるから、最適な落としどころを見つけなきゃ」と、考えなければいけないのです。

これは、理系的に、忌避感のある話ではありませんよね？　わりと普段からよく考える話です。計算における、有効数字の取り扱いなんかを思い浮かべていただければと。説明においても同じです。**今、どこまで正確な言い方が必要か**……そう考える必要があります。

なのに、なぜか説明するとなると、ついつい「可能な限り正確になるよう言葉を足そう」と思ってしまいます。これはどうしてなのでしょう。

原因としては、払っているリソースが書き手・読み手のどちら側にあるのかについて、誤解しやすいことが挙げられます。

正確な言葉えらびをする際、書き手からすると、自分がリソースを払っているように思います。

たとえば、

不可能です。

ではなくて、

基本的には不可能なことが多い。

と言葉を足して書くのなら、言葉を足すという行為によって、書き手である自分がリソースを消費すると考えます。

だから、自分がそのリソースを払える限りは、より正確になるように言葉を足そうと思ってしまいます。

しかし実際、**リソースを消費するのは書き手だけではありません。**読み手側もまた、足された言葉を読まなければならないので、時間や気力を消費します。

相手のリソースも使わせている、と思うと、ちょっと立ち止まって推敲する気になれます。**「今、この正確性は必要か？」と考え、言葉を削っていくことは、とても大切です。**

そうすることで、冷たい・歯切れが悪い・責任感が薄いと思われる要素がすくなくなり、理解しやすい文章の側に寄っていけます。

では具体的に、どのように言葉を削るべきなのか、例を挙げて見ていきましょう。

それなりに技術のある人間ならば、ある程度はすぐにわかることではあるが、素人にはおおむね見過ごされるだろう。

どうでしょう？　この文章に歯切れの良さは感じますか？

こういうの、理系社会で育っているとほんとうに書きがちです。繰り返し繰り返し言いますが、別にそれは悪いことではありません。ただ、合わないシーンが世の中にはある……というか、合わないシーンの方が世の中には多いので、気をつけなければいけません。

修正するならこんな感じでしょう。

技術のある人間ならばすぐにわかることではあるが、素人には見過ごされるだろう。

すっきりしましたね。これで正確さが十分なのであれば、この方が望ましいでしょう。

我々が使いがちだけども、もし可能なら削っていきたい『正確さに関する言葉』としては、

- それなりに
- だいたいは
- ある程度
- おおむね
- そこそこ
- わりと
- 必ずしも
- 基本的に
- 一般的に
- 多くの場合は

などなどが挙げられます。使ってはいけないのではありません（実際、この本の中でも、

これらの言葉は使っています)。無制限に使うのではなく、よく吟味して、使う・使わないを判断していくべきという話です。

また、『正確さに関する言葉』として、実は次のものも入るんじゃないかなと思います。

いろんな人と話すことができる。

この例における、「ことができる」です。抜けるケースが多く、

いろんな人と話せる。

のようにできますね。

どうしてこれが『正確さに関する言葉』かというと、たとえば、「食べることができる」を「食べられる」に言い換える場合などで、わかりやすいです。

「食べられる」の「られる」には、可能と受け身と尊敬が交じります。

それぞれ、

・食べることが可能（可能）
・捕食される（受け身）
・お食べになる（尊敬）

のような意味です。「来られる」や「見られる」などでも話は同じです。どの意味なのかは、他の言葉や文脈などから判断しなければなりません。これを避けるのであれば、可能の話をしたいときには、「ことができる」を使った方が正確にはなります。なりますが、その正確さが必要かは、考えていきたいです。ついつい使ってしまうので、文章を書き終えた最後に、頭からまとめてチェックしてみると良いかなと思います。

以上のようなことに気をつけて、ぜひ、一般社会から不必要に反感を抱かれない文章をめざしましょう！　ほんとうに伝えたいことを、伝えたい人たちへ、伝えられるように。

5章

もっと「読みやすい」と言われるための

中級編テクニック集

1. これまでの章との違い

2〜4章では、理解しやすい文章を書く上において、『文化的な特性から理系が特にやりがちなミスと、その対処法』について解説しました。あれらは、奥は深いですが習得はむずかしくなく、使えるシーンも多岐にわたります。理系の同胞には、まずまっさきに身につけてほしいテクニックです。

この5章でご紹介するのも、理解しやすい文章を書くためのテクニックです。ただ、これまでの章とは違って、『**理系に限らず**多くの書き手がやってしまいがちなミスと、その対処法』にフォーカスを当てていきます。

よって、2〜4章のように、理系狙いうちというわけではありません。また、紹介するテクニックも、今までのものよりちょっとだけ複雑です。なので、この5章は、中級編と位置付けてみました。

とはいえ、もちろんこれまで同様、どうしてそうした方がいいのかという根拠もきちんと示す形の、理系的な観点による解説としています。

これまでの章のテクニックを身につけてくださった方々にご活用いただきたい、重要な話を厳選して詰め込みました。

ワンランク上の書き手を目指して、ぜひぜひ挑戦してみてください！

2. 受動態より能動態

能動態、受動態という言葉を聞いたことがあるでしょうか？
英語を学習しているときなんかに、たびたび耳にする単語です。対し、日本語文につい
て考えているときに、わざわざこの話が出てくることってあまりないかなとは思います。
ですが、日本語文でもここを意識するかしないか、できるかできないかは、書き手とし
てかなり大きな差になります。

さて、ものすごく単純に言うと、「〇〇が〜〜する」というのが能動態、「〇〇が〜〜さ
れる」というのが受動態です。
例文を見てみましょう。

ぼくはこの棒を倒した。（能動態）
この棒はぼくに倒された。（受動態）

両者とも、現象としては同じものを描いています。

さて、パッと読んでみてどちらの方がわかりやすいですか？ 前者の方がわかりやすい、ですよね。「いや、そんなことない。後者だ」あるいは、「両方とも大して変わらないだろ」と思いますか？

では、ちょっと文章を長めにしてもう一度比較してみましょう。

ぼくは、強い風に煽られ体勢を崩して棒を倒した。（能動態）
この棒は、強い風に煽られ体勢を崩したぼくに倒された。（受動態）

どうでしょう？ これならよりはっきりわかるかなと。ここまで長いと、後者では意味の読みとりにくさが浮き彫りになりますね。

改めて認識しておきたい、とてもシンプルな事実があります。それは、**わたしたちは、文章を受動態だなんてわざわざ思って読んだりしない**ことです。いちばん自然な形である、能動態だと思って読み始めます。

文の頭に**ぼくは**と出てきたら、「あ、ぼくがなにかをした文章なんだな」と思うし、**猫は**と出てきたら「猫がなにかをした文章だ」と考えます。それがごく自然な読み方です。「ぼくがなにかをされた文章だな」「猫がなにかをされた文章だな」なんて思うでしょうか？思いませんよね（もちろん、文脈でそれが明らかな場合は別ですが）。

なので例文の後者では、棒がなにかをした文章だと思って読み進めて、最後の「倒された」が出てきたところで、初めて受動態だとわかることになります。


文の中身で読み手の予想を裏切るのは良いことです。しかし、文の構造でそれをするのは、読み手に負荷をかけることになります。

表現物に対し、それを受け止める側の人が「こういうものだよな」と無意識に信じていることを、メンタルモデルと言います。デザインの分野なんかでよく使われる言葉です。

たとえば、あなたがウェブサイトを見ているとき。ある一文が青字になっていて、そこに下線が引いてあったら、それはリンクが貼ってあるのだなと思いますよね？　その部分をクリックやタップしたら、リンク先のページに行けると思いますよね？

ウェブサイトの中で、他の例も挙げてみましょう。サイトの上の方にあるタイトルロゴ。そこをクリックすればトップページに戻れると思いますよね？

そのウェブサイトには、そんな説明は書いていないのに！

こういった、そんな説明は書いてないのに、わたしたちが無意識にそう信じていることがメンタルモデルです。世の中の使いやすいシステムの多くは、ユーザーのメンタルモデルを裏切らないようにデザインされています。

逆に、**メンタルモデルを裏切るデザインは、ユーザーにストレスを与えます。**このボタンをクリックすればメニューが開くと思ったのに、ここをタップすれば再生が止まると思ったのに、ここは押しても反応がない場所だと思ったのに……なんて経験、ありませんか？　結構イライラしますよね。


なにもデザインだけでなく、文章でも同じことが言えます。あるいは、文章の構造をデザインだと考える、でも良いでしょう。

もう一度、例文を見てみます。

この棒は、強い風に煽られ体勢を崩したぼくに倒された。（受動態）

能動態だと思っていたのに、棒がなにかをした文章だと思っていたのに、最後になって棒がなにかをされた文章だと明らかになる。これは読者のメンタルモデルを裏切って、ストレスを与えます。

さらに悪いことに、読者の中には、結局どういう文だったか一回では理解できず、最初からもう一度読み返す人さえいます。

こういうことが積み重なっていくと、スラスラ読める文章から遠ざかるのです。

なので、**もし理解しやすさを最重視するなら、なるべく受動態は避けて能動態で書いていきたい**です。

とはいえ！　必ずしも受動態がダメかというと、まったくそうではありません。ここがこの話の、ちょっと複雑なところなのです。

たとえば、

三日前、わたしは自転車の鍵を盗まれた。

という受動態の文があったとき、

三日前、誰かがわたしの自転車の鍵を盗んだ。

と書き換えるべきでしょうか?

誰によってその現象が起こされたのか明らかでない文章などは、無理に能動態に直すと、ちょっと違和感が出ます。こういうときは、受動態の方が自然な仕上がりになるでしょう。

また、視点を統一したい(次の節で解説します)ときにも、受動態で書く必要が出たりします。

能動態オンリーで文章をすべて組むべきかというのも、ちょっと考えものです。理解しやすくはあるのですが、あまりに長い文章をすべて能動態にすると、どこか稚拙な印象になってしまいます。なんとなく子どもっぽいような……と思ったら、あえて受動態をはさんでみるのもひとつの手です。

もちろんこれは、見栄えのために理解しやすさをすこしだけ目減りさせるものなので、その点きちんと自覚的に使うべきテクニックです。

「絶対に受動態より能動態が良い」と覚えるのではなく、「受動態の方がわかりやすいときもあるし、見栄えがよくなることもあるけど、基本的には能動態ベースが読み手にやさしい」くらいの認識が、ちょうど良いかなと思います。

ここで、ぜひ参考に見てもらいたい資料があります。それは、『NEWS WEB EASY やさしい日本語で書いたニュース』という、NHKが運営しているニュースサイトです。

この『NEWS WEB EASY』は、小中学生や外国の方々向けに、日々のニュースをとてもわかりやすい日本語文で紹介しています。多くの文がなるべく主語をはっきりさせた能動態で書かれており、意味が非常に読みとりやすいです。

日本語がまだそこまで高いレベルで扱えない方々に向けて必要な情報を届ける、という観点において、このサイトの文章の書き方は最適解だと思います。能動態・受動態の話以外にも参考になる技術が山ほどあり、ライティングの教材としても非常に優れています。「やさしい文章」のお手本を見たいとき、わたしはここを訪れることにしています。

一方で、読者へのやさしさに全ステータスを振ったこのサイトの文章は、なんとなく子どもっぽい印象があるのも事実です。日本語ネイティブの大人向けに、こういった文章を書くべきかというと、否ではあるでしょう。

読者層を見極めてバランスを考えるのが大切、ということも、『NEWS WEB EASY』を訪れると再確認できます。

メンタルモデルの話が出たので、この節の最後に、もうひとつだけ。次の例文を見てください。

> 彼女の家には、一匹の子猫がいます。わたしは、生まれたばかりの小さな子猫が好きではありません。

読んでいて、後半部分で「おや？」と思いませんでしたか？

わたしたちの持つ文章へのメンタルモデルは、「能動態だと思って文章を読む」の他にも、「肯定文だと思って読む」があります。

なので、いきなり否定文をぶつけられると、文章を読みながら頭の中で立てていた予想が裏切られ、最悪、読み直しする必要が出てきたりします。

では否定文は使ってはいけないのかというと、そうではなく、事前に「これから否定文が来ますよ」と予告してあげればいいのです。そうすれば、メンタルモデルを裏切らずに済みます。

予告は簡単です。


彼女の家には、一匹の子猫がいます。しかし、わたしは生まれたばかりの小さな子猫が好きではありません。

みたいに、逆態の接続詞を加えてあげればいいだけです。否定文を書くときには、心がけてみてください。

……と、簡単のために肯定文・否定文でシンプルに説明しましたが、実態はちょっとだけ違います。より正確には『前の文章と同じ流れの文』と『前の文章に逆行する文』です。

たとえば、

わたしはピーマンが嫌いです。あれが入っている料理は食べません。

という文章なら、流れに逆行していないので、予告なしに否定文が来ても違和感はありません。

シンプルに覚えるなら否定文を目印に、より正確に覚えるなら文章の流れが逆転するところを目印に、逆態の接続詞を入れるべきかどうかチェックしてみてください。

3. 文の視点に気を配ろう

アプリやサービス、ガジェット、電化製品などなど。それらを新しく使い始めるときや、使い方でわからないことが出てきたとき、わたしたちは説明文を読みます。

しかし、「なーんかこの説明文読みにくいな」とか、「微妙に意味がわかりにくいな」とか、そんな風に思ったことはありませんか？

言葉の使い方が間違っているとか、文章がわかりやすく破綻しているとか、そういうわけではないのだけど、どこかがちょっとだけわかりにくい。

世の中には、そんな説明文がよくあります。逆に言えば、説明文の書き手は、気をつけていないとそういうものを綴ってしまいがちということです。

原因はさまざまでしょうが、わたしが今までいろいろ見てきた中でもっともよくあるタイプが、以下のようなものです。

あるアプリの説明文だと思ってください。

オサカナ博士は、写真を解析するアプリです。
撮った写真を、AIが自動で判定。魚の名前を知ることができます。

どうでしょう？　この文章、なにか違和感がありませんか？　言っていることはもちろんわかるかなと思うのですが、一方で、微妙にどこか飲み込みにくくはないでしょうか。原因はいったいなんなのか。結論を言えば、これは、**視点の制御にミスがあります。**

一文目を見てみましょう。

オサカナ博士は、写真を解析するアプリです。

これは、主語が『オサカナ博士』ですね。なので、アプリそのもの、あるいはアプリ開発側から見た文章です。

では最後の文章はどうなっているでしょうか。

魚の名前を知ることができます。

この文章の主語はなにか、「知ることができる」のは誰かと考えると、アプリのユーザーでしょう。つまり、これはアプリを使う側から見た文章です。

なので、**最初の文ではアプリ開発側に視点があったのに、最後の文になるとアプリを使う側に視点が移動しています。悪いことに、それが明示されることなく、です。**

文章全体にただよう微妙なわかりにくさは、多くがここに由来します。

では、書き換えてみましょう。

> オサカナ博士は、写真を解析するアプリです。
> 撮った写真を、AIが自動で判定。魚の名前を表示します。

最後の文の視点を、アプリ側にしました。「知ることができる」のはユーザーですが、「表示する」のはアプリですよね。

二つ目の文も主語が『AI』でアプリ側視点なので、文章全体がアプリ側視点で統一されたことになります。違和感が一気に消えました。

他にも、

オサカナ博士は、写真を解析するアプリです。

撮った写真を、AIが自動で判定。これにより、ユーザーは魚の名前を知ることができます。


とする手もあります。こちらは、最後の文章で視点を明示的に変えたバージョンです。

これも悪くはないですね。

このように、今書いている文はどの視点からのものなのかを常に意識し、「なるべく視点を統一する」あるいは「切り替えるなら、それが読み手にわかるよう、そのタイミングで主語を必ず明示する（省略しない）」と、読み手に文意を飲み込んでもらいやすくなります。

ところで、例文の二文目、

撮った写真を、AIが自動で判定。

これにはなんの問題もないのでしょうか。

細かいことを言うと、主語にまつわる話から、ちょっと修正の余地があります。「撮った写真を」とありますが、これはいったい誰が撮った写真なのでしょうね。

普通に考えれば、**ユーザーが**撮った写真です。しかし、**アプリが**撮った写真と考えることもできなくはないです。アプリを起動しているとずっとカメラも起動しっぱなしになって、魚っぽいものを認識したら、自動でカメラのシャッターが切られて画像が保存される……などの仕組みだったら、**アプリが**撮るという表現もアリですから。

こういった迷いが起きないように、「撮った」とは誰を主語にした述語なのか、はっきり書いておきたいところです。

もっとも、これはどちらかというと、理解しやすい文章ではなく誤解しにくい文章のためのテクニックではありますが。

例文をもうひとつ見てみましょう。

このロボット掃除機は、驚くほどパワフルです。あっという間に、きれいなお部屋が手に入るでしょう。今なら、お値段もお手頃です。

こちら、どこを直すべきかおわかりでしょうか。

正解はここ。

あっという間に、きれいなお部屋が手に入るでしょう。

一文目と三文目は、掃除機あるいは掃除機の開発側からの文章です。対し、二文目は掃除機を使うユーザー側の文章です。きれいなお部屋を手に入れられるのは、掃除機を使うユーザーですので。

直すとしたら、

このロボット掃除機は、驚くほどパワフルです。あっという間に、お部屋をきれいにしてくれるでしょう。今なら、お値段もお手頃です。

このような感じ。視点が統一され、違和感が消えました。

視点の切り替えにまつわるこういったミスは、理系が特別に犯しやすいもの……ではありません。出身の文化圏を問わず、多くの書き手がやりがちです。

ただ、理系はその職能や職域上、説明文を書くことがなにかとあります。個人でアプリを開発しているエンジニアなんかは、その最たる例です。

今回の話をぜひ身につけていただき、あなたの素敵なプロダクトに見合う、素敵な説明文を書いていきましょう。

4. 一文一意の注意点

一文一意、という言葉を聞いたことはあるでしょうか？

これは、ひとつの文にはひとつのことだけ書こう、という意味のライティングにおける合言葉です。

次の例文を見てください。

> 料理において大切なのは、「次になにをするべきか」が頭に入っていることであり、技術の高さにこだわるよりも、出来上がりまでの具体的な工程をイメージできるようにするべきであり、想像力を鍛えることが必要だ。

こういう文章は、なにが言いたいのかわかりにくいです。一文の中にたくさんの要素が入っていて、結果、全体の輪郭がぼやけてしまっているためです。

この例文に込められているのは、

①「次になにをするべきか」が頭に入っていることが、料理において大切
②出来上がりまでの具体的な工程をイメージできるようにするべき
③想像力を鍛える必要がある

の、三つのメッセージ。これをひとつの文章に詰めてしまうから、よくわからない印象になってしまうのです。

一文一意として、

料理において大切なのは、「次になにをするべきか」が頭に入っていること。技術の高さにこだわるよりも、出来上がりまでの具体的な工程をイメージできるようにするべきである。だから、想像力を鍛えることが必要だ。

としましょう。

理解しやすい文章とするためには、このように、一文一意が原則です。

……みたいなことが、よく言われます。一文一意は、ライティングを勉強し始めると、大抵どこかで出会う言葉です。

しかし、**これを絶対の金科玉条とすべきかというと、わたしは否だなと思っています。**

次の文を見てください。

はじめて入るお店でカレーを注文してみたが、舌に残る濃厚な味でとても美味しく、わたしは大満足で、しばらく通おうと心に決めて、食べ終わってお会計しようとしたところ、今月で閉店という張り紙に気づいて、がっかりした。

これ、どうやって一意に分解していくべきか。以下ではどうでしょう。

はじめて入るお店でカレーを注文してみた。舌に残る濃厚な味でとても美味しい。わたしは大満足だった。しばらく通おうと心に決める。食べ終わってお会計しようとした。しかし、今月で閉店という張り紙に気づく。がっかりした。

どんな印象を持ちましたか？

ここまで細切れになると、逆に読みづらくなってきませんか？　一意にするというのは、ここまで厳密に区切るべきことなのでしょうか。

このように、一文一意には大きな問題として、『一意』と言われてもどこまでを一意とするべきかが難しい、という話があります。

次のような形ではどうでしょう。

はじめて入るお店でカレーを注文してみた。舌に残る濃厚な味でとても美味しく、わたしは大満足だ。しばらく通おうと心に決めた。しかし、食べ終わってお会計しようとしたところ、今月で閉店という張り紙に気付く。がっかりした。

これでも、一文それぞれが一意と言えば一意になっているような気がします。

また、先ほどの文章と比べても、理解しやすさは決して劣りません。

一文一意がダメだとか言いたいわけではありません。実際わたしも、理解しやすい文章を書く際には、「一文はなるべく一意にしていこう」と心がけています。

ただ、今見たように一文一意は解釈に幅があります。そして、厳密な解釈を用いて細かく文を区切りすぎることが、理解しやすさにつながるかというと、必ずしもそうではありません。

なので、絶対の指針とするには注意が必要です。

そのためこの本では、一文にどれだけの要素を詰めていいかの目安として、読点の数を先にご紹介しました（2章）。

0個：短めの文章。
1個：普通の文章。
2個：長めの文章。
3個：長い文章。句点で区切れないか検討してみる。
4個：長すぎる文章。ダメではないけれど、なるべく句点で区切りたい。

読点は、正しく打てば、文章の中に詰めた要素の数を示す指標になってくれます。

これに加え、一文一意を心がけのひとつとして持っておく……くらいが、バランスとしてはちょうどいいかなと思います。

6章

一目置かれよう！上級編テクニック集

1．これまでの章との違い

理系が改めて身につけるべき基礎を2～4章で、理系に限らずすべての書き手が使える応用を5章で、これまでお伝えしてきました。

あれらはすべて、理解しやすい文章を書くためのテクニックです。

一方、唯一この6章では、毛色の違ったものをご紹介します。理解しやすい文章と対をなす、誤解しにくい文章のための技術……ではありません。それに関しては、理系は自らの本領において学ぶ機会が多くあり、また、有名な教本がすでにいくつか世に出てもいます。なので、改めてわたしが今この場において解説すべきものではないでしょう。

この6章で皆さまにご紹介するのは、**「書き慣れてるね～！」と言ってもらえる文章を書くためのテクニック**です。もうすこし外連味の効いた言い方をすると、『上級者感』を出すためのテクニック。

これは、理解しやすい文章を書くためのものとは、また別のところに存在する技術になります。

今まで皆さまにお伝えしてきた技術を使えば、文章の理解しやすさは格段に上がります。読んだ人から、「読みやすいね」「わかりやすいね」と言っていただけるでしょう。

しかし、せっかくなので最後に欲を出して、「上手いね」と言っていただくための技も、ちょっと学んでみませんか？

理解しやすさも上がりません、誤解しにくさも上がりません。ただただ読み手に「上手いなあ」となんとなく思わせるだけのテクニックです。

文章の本質自体を変えるものではありません。でも、表面をよりきれいに整えて、あなたの素敵な文章を、さらに素敵に見せることができます。お化粧の仕方、みたいなものだと思っていただけると。

素敵だと思ってもらいやすくなれば、褒めてもらいやすくなる。褒めてもらうと、また次の文章を書きたくなってきます。そして文章を書く量が増えれば、書き手としての実力も自然と上がります。良いことずくめです。

この6章の技術を使って、書き手としての日々を、より充実させていただけたらうれしいです。

2. 同じ文末が続くのを避けよう

野暮ったく感じる、書き慣れていないように見える文章とはどんなものでしょう。どんな特徴があると、そう思われてしまうのか。

内容の稚拙さでしょうか、語彙のすくなさでしょうか。

たしかにそれらもそうなのですが、実は、より身近でやりがちな特徴がほかにあります。

次の例文を見てください。

> あした、新しい冷蔵庫を買います。近くの家電量販店に行きます。わたしは、デザインや値段よりもスペックを重要視しています。毎日使うものなので、なるべく便利な製品を選びます。いいものを見つけたら、迷わず決めてしまおうと思います。

読みにくいわけでも、わかりにくいわけでもないかなと思います。ただ、このように**文末がずっと同じ形だと、『書き慣れている感じ』は決して出ません。**

逆に言うと、書き慣れて見える文章は、文末にバリエーションがあります。なので、この節でご紹介するのは、その付け方です。

2-1 ます↓です変換、です↓ます変換

さて、最初に思いつくやり方は、単純に『ます』を『です』に換えること、あるいは『です』を『ます』に換えることでしょう。例文では、文末がすべて『ます』なので、二文目を『です』に変えてみます。

近くの家電量販店に行きます。

という文の文末を、

近くの家電量販店に行く予定です。

みたいに、**何かしらの名詞を最後に追加する形**で変換。あるいは、

行くのは、近くの家電量販店です。

のように、**語順を入れ替える形**でもいいでしょう。ます→です変換は、大抵、このどちらかを使えば可能です（です→ます変換なら逆の手順）。

他のやり方としては、たとえば四文目。

毎日使うものなので、なるべく便利な製品を選びます。

これを、

毎日使うものなので、なるべく便利な製品を選びたいです。

のように「～したいです」と変える手もあります。似たようなテクニックとして、

毎日使うものなので、しっかり使えるものを選ぶつもりです。

でもオーケー（『つもり』を名詞と見れば、先に紹介したパターンの一種でもあります）。

さて、これで以下のようになりました。

あした、新しい冷蔵庫を買います。近くの家電量販店に行く予定です。わたしは、デザインや値段よりもスペックを重要視しています。毎日使うものなので、なるべく便利な製品を選びたいです。いいものを見つけたら、迷わず決めてしまおうと思います。

最初と比べると、ずいぶんこなれましたね。

なお、今回は一回ごとに文末を変えてみましたが、二回くらいなら同じものが続いてもまったくおかしくはありません。無理に手を加えて変になるくらいなら、わたしは三回連続同じ文末でも、たまに許容したりします。

2-2 体言止め、倒置法

さて、バリエーションの付け方はもちろん、『です』と『ます』だけではありません。今度は違う文末を使って、さらに味付けを魅力的にしてみましょう。

例文は、また先ほどのものを使います。一文目が『ます』、二文目が『です』で終わっているので、三文目から。

わたしは、デザインや値段よりもスペックを重要視しています。

これを『です』でも『ます』でもない形で終わらせようと思ったら、どんな手段があると思いますか？

ひとつの手が、こちら。

わたしが重要視しているのは、デザインや値段よりもスペック。

名詞で終わらせるこういった形を、**体言止め**と言います。今の文を体言止めで書き直すと、「名詞で終わらせるこういった形の名前は、体言止め」とかになりますね。

これはたぶん、国語でも習っているかなと思います。

今からとても重要なことを言いますが、**体言止め最大の長所は、なんとなくかっこいいところ**です。こう書くとめちゃくちゃバカっぽいな。でも真面目な話、使うだけでなんとなくかっこよくなるというのは、とても強力な特徴です。

たとえば、

- 汚れが落とせます。
- このバスは最終便です。
- 優しさが大切です。

などなどのなんでもない文章も、

- 落とせるのは汚れ。
- このバスは最終便。

・優しさが大切。または　大切なのは優しさ。

このように、なんとなく名言風というか、重要なことを言っているような響きになります。ただ、お手軽で強力なだけに、あまり使いすぎるとくどくなるのが難点です。

体言止め同様の特徴を持つ技に、倒置法もあります。今の文を倒置法で書き直すと、「倒置法もあります、体言止め同様の特徴を持つ技に」となりますね。

文章の順序を、通常と入れ替える技法です。体言止めでも同様のことをやる場合がありますが、体言（名詞）で終わるか、それ以外（多くは助詞）で終わるかの違いがあります。後者が倒置法です。

わたしは、デザインや値段よりもスペックを重要視しています。（通常文）
わたしが重要視しているのは、デザインや値段よりもスペック。（体言止め）
スペックです、わたしがデザインや値段よりも重要視しているのは。（倒置法）

もちろん理解しやすさで言えば、通常の形がダントツです。体言止めや倒置法は、ちょっとスパイス効かせたいな～とあえて思ったとき、文末の調整がてら試してみてください。

ちなみに、漫画や小説においても、重要な言葉や印象的なセリフには、体言止めや倒置法がたびたび使われていたりします。通常の形と違うからこそ耳に残りやすく、『特別なセリフ感』が出てくれるので、たいへん頼りになります。

たとえば、

お前なんか大嫌いだ!

よりも、

大嫌いだ、お前なんか!

の方が、なんとなく印象に残りませんか?

2-3 問いかけ法、呼びかけ法

文末調整のテクニックはまだあります。例文の四文目をいじってみましょう。

> 毎日使うものなので、なるべく便利な製品を選びたいです。

語順を入れ替えることもなく、新たな単語を加えることもせずに文末を変える技を使ってみます。それがこちら。

> 毎日使うものなので、なるべく便利な製品を選びたいですよね?

いよいよ小賢しいテクニックになってきましたが、だからこそ簡単で便利です。聞き手にたずねる形のこの手法を、わたしは**問いかけ法**と呼んでいます。

この問いかけ法、なにも「ですよね?」形式だけでなく、

> 本当に必要なのか疑問です。

のような文なら、

本当に必要なのでしょうか?

と変えることができます。この例は問いかけ法にわかりやすく向いている文章でしたが、
そうでないものでも対応可能です。
たとえば、

いちばん美味しいフルーツは、イチゴです。

という文なら、

いちばん美味しいフルーツは、イチゴではないでしょうか?

とかにできます。簡単ですよね？
ちなみにこの問いかけ法、読み手からすると「自分に問いかけてきている」と思うので、**当事者感**を覚えます。読者に文章の中へより深く入ってもらう方法としても、これは有用なテクニックです。

似たような話に、こういうものもあります。

次の問題を解いてみます。

これを、

次の問題を解いてみましょう。

にする手法です。わたしは個人的に、**呼びかけ法**と言っています。この本においてもよく使っているテクニックです。

これも問いかけ法同様に、文末を調整できるだけでなく読み手の当事者感を強めることができるので、とても有用です。使えそうなところがあったら、ぜひ使っていきましょう。ただ、かなりライトな印象が出るので、文章の雰囲気、いわゆるトンマナによっては使うべきではない場合もあります。その点は注意が必要です。

（トンマナ：トーンとマナーをくっつけて略した言葉。雰囲気の一貫性を意味する）

2-4 常体の挿し込み

体言止めと問いかけ法を適用したバージョンの文を、全体を通して見てみましょう。

> あした、新しい冷蔵庫を買います。近くの家電量販店に行く予定です。わたしが重要視しているのは、デザインや値段よりもスペック。毎日使うものなので、なるべく便利な製品を選びたいですよね？　いいものを見つけたら、迷わず決めてしまおうと思います。

ずいぶん書き慣れた印象が出ました。素人っぽいとはまず言われないでしょう。

これで完成としてしまってもいいのですが、他にもご紹介したい技があります。

とはいえ、今度のはちょっと扱いがむずかしいです。半端に使うと火傷をするというか、誰しもがすぐに使えるお手軽簡単テクニックではありません。そういう意味では正直、本書のコンセプトにはそぐわないのですが……せっかくなので紹介させてください。

もし、文章を書くことにちょっと自信が出てきたら、そのときにぜひ挑戦してみていただければと思います。


紹介したいのは、**常体を挿し込む**というテクニックです。

文章には、大きく分けて敬体と常体という二種類があります。簡単に言うと、「です・ます」などで終わるのが敬体、「だ・である」などで終わるのが常体です。

小説なんかでは常体が基本ですが、日常生活で書く機会が多いのは敬体かと思います。なので、この節でのテクニックはどれも、敬体文であることが前提です。というか、常体文は文末の種類がたくさんあるので、困ることがありません。

さて通常、敬体の途中で常体に変えたり、あるいは逆に、常体の途中で敬体に変えたりするのは、よくないこととされています。

しかし、常体に変えるということに限って言えば、実は条件次第では強力な手札になりえます。

例文から一文を抜き取って、変えてみましょう。

毎日使うものなので、なるべく便利な製品を選びたいですよね？

これを、

毎日使うものなので、なるべく便利な製品を選びたい。

にしてしまいます。え～、と思うかもしれませんが、全体を通して読んでみてください。

あした、新しい冷蔵庫を買います。近くの家電量販店に行く予定です。わたしが重要視しているのは、デザインや値段よりもスペック。毎日使うものなので、なるべく便利な製品を選びたい。いいものを見つけたら、迷わず決めてしまおうと思います。

どうでしょう。**意外なほど、違和感がない**ことをおわかりいただけるかなと。

どころか、なんとなくさっきの文よりいい感じにも思えませんか？

敬体の中に突然、ぽんと常体を投げ込むテクニック。これをすると、常体に変えた部分には、より『本音を言っている感』が出ます。

敬語で丁寧にしゃべっていた人が、一瞬だけくだけた口調になったら、ポロッと本音が出たような気がしますよね？ それは、文章でも同じことなんです。

他の文で見てみましょう。

> このよそよそしい街で生きていけるかどうか、わたしには自信がありませんでした。正直言って、とても不安だった。変な風に見られていないだろうかと、いつも怯えていた気がします。

どうでしょう、違和感あるでしょうか？ あんまりないですよね？

どころか、常体の部分はやっぱりかなりいい仕事をしています。

わたしは、作家ではなく広報としての仕事でたびたびインタビュー記事を書くのですが、ありがたいことに「あったかい文章だよね」とよく言っていただけます。ぶっちゃけてしまえば、その要因の何割かはこのテクニックのおかげです。

敬体で組んだ文章の中にフッと力の抜けた常体を放り込むと、そこには人の体温や息づかいが宿るのです。

むずかしいテクニックですし、使うのに勇気も要ります。なので、今日からぜひぜひ使ってみてくださいとは言いません。

でもいつか、挑戦してみていただけるとうれしいです。それだけの価値は、間違いなくあります。

2-5 否定形変換

使いどころに注意は必要だけど、うまく扱えれば強力。そんな技には、否定形に変換するというものもあります。

たとえば、

カレーは世界一美味しい料理です。

という文章を、

カレーより美味しい料理は存在しません。

などに変えるようなやり方です。

他の例を挙げると、

このゲームは簡単です。

という文章ならば、

このゲームはむずかしくありません。

に書き換え可能です。

肯定文とは文末がガラリと変わるので、うまく使えれば便利です。

ただ、これは文章にかなり大きく手を加える必要があります。そして、そうまでしても、元と完全に同じ意味での書き換えにはできなかったりもします。苦労に成果が見合うかというと、ちょっと微妙なときがあるかもしれません。

また、前の5章でご説明したように、否定文はともすると、読み手のメンタルモデルを裏切りかねない危険性があります。

使う際には、文章の流れに逆らわない形にするか、もしくは逆態の接続詞をきちんと挟み込む配慮をしたいところです。

2-6 （ちょっと無理やりな）ます↓です変換、です↓ます変換

最後に、もしかしたら使えるタイミングがあるかもしれない、ちょっと無理やりな技術を記しておきます。

ます↓です変換、です↓ます変換の一種です。うまくハマれば、ほとんどなにも考えず、苦労なしに変換ができます。ただ、ハマることがそんなに多くないので、一応覚えておくくらいの気持ちで読んでいただければと。

まずは、ます↓です変換。例文を見てください。

それは悪いことだと思います。

これを、

それは悪いことだと思うのです。
それは悪いことだと思うんです。

などと書き換える手法です。スルッと変換できてしまうので、使えるのならばかなり便利。ただ実際に書いてみると、「のです」だと印象が変に硬く、「んです」だとライトになりすぎて、なかなか扱いに困る言葉遣いです。

次、です→ます変換。

以上が解くべき問題です。

これを、

以上が解くべき問題になります。

とするテクニックです。先ほどのもの同様、ほとんど考えることがありません。
ただ、やはり使いどころが限られます。硬めでへり下り気味な言葉遣いなので、汎用的とは言えないでしょう。
それでも、たま～に使えるタイミングがあるので、覚えておくといつか役に立つかも。
以上、同じ文末を連続させないためのテクニック集でした。

・ます↓です変換、です↓ます変換
・体言止め
・倒置法
・問いかけ法
・呼びかけ法
・常体の挿し込み
・否定形変換
・（ちょっと無理やりな）ます↓です変換、です↓ます変換

ここに載っているどれかを使えば、大抵はなんとかなります。
一本調子な文末に、今日からサヨナラしましょう。

3. 同じ単語の連続に気をつけよう

3-1 ひとつの文に同じ単語を出さないかっこよさ

同じものが続いたときに野暮ったさが宿るのは、文末だけではありません。
以下の文を見てください。

> 床に落としたスマホの表面に大きなヒビが入っており、スマホが壊れたかと思って焦ってしまったが、スマホはなんともなかった。

どうでしょうか、とてもわかりやすく大げさに書いてみました。スマホスマホうるさいですよね。

一文中に同じ単語が何回も出てくるのは、野暮ったい印象を読み手に与えてしまいます。

書き換えるなら、

床に落としたスマホの表面に大きなヒビが入っており、壊れたかと思って焦ってしまったが、なんともなかった。

としたいですね。単純に、重複している単語を削った形です。

このように、同じ単語は一文中に一回だけがきれいです。

なおこれは、誤解しにくい文章を書きたいときには、使うべきでない方策です。野暮ったかろうがなんだろうが、「なにについての話なのか」「誰についての話なのか」を都度都度きちんと明記する方が、表現は正確になります。

さて、ほかの例を見てみましょう。

大好きなお店のラーメンを食べるとき、このラーメンのために生きているなあと感じます。

こういう場合はどう変えたらいいでしょうか。先ほどのような、単に重複している単語を削るやり方では、対処がむずかしいです。
ひとつのやり方として、こんなのがあります。

大好きなお店のラーメンを食べるとき、この一杯のために生きているなあと感じます。

削るのではなく、近しい意味の言葉に言い換えるテクニックです。この場合は、『ラーメン』を『一杯』に言い換えました。
では、もうすこし難度を上げてみましょう。

大好きなお店のラーメンを食べるとき、このラーメンのために生きているなあと感じますし、ラーメンがこの世に生まれてくれてよかったと心からうれしく思います。

ラーメンが一文中に三つになりましたね。どんな言い換えができるでしょうか。

大好きなお店のラーメンを食べるとき、この一杯のために生きているなあと感じますし、こんな料理がこの世に生まれてくれてよかったと心からうれしく思います。

『ラーメン』『一杯』『こんな料理』と言葉を変えてみました。やはりこうして重複を避けた方が、洗練された印象になりますね。

さて、同じ単語を同一文中に使わないというこのテクニックについて、先ほど、誤解しにくい文章を書きたいときには使うべきではないと書きました。

基本的にはそうなのですが、例外もあります。以下のような場合です。

バグへ対応しなければならなかったが、突然だったことからすぐには対応できず、対応に取り掛かるまでちょっと時間が経ってしまった。

野暮ったいというだけでなく、『対応』という言葉を三回ともそれぞれ別の意味で使っているので、意味がボケてしまっています。これでは、正確性という観点からもよくありません。

バグを修正しなければならなかったが、突然だったことからすぐには対応できず、作業に取り掛かるまでちょっと時間が経ってしまった。

このように言葉をきちんと使い分けた方が、文意がはっきりします。

文章を書くときに語彙が大切なのは、なにも豊かで文学的な比喩表現をするためだけではありません。こういった一見すると地味な、しかし重要な、言葉の使い分けを的確にすべきシーンでも活きてくるのです。

とはいえ、語彙を鍛えるのは一朝一夕ではどうにもなりません。また、文章書きが本職である作家やライターにしても、必要な言葉がいつでもスラスラ出てくるとは限りません。

そんなときにとても頼りになるのが、**類語辞典**です。これは似たような言葉がまとめられたもので、上手い言い換えを探す際に役立ちます。

インターネット上にも類語辞典サイトがいくつかあるので、それを利用するのもいいでしょう。わたしもよくお世話になっています。ほんとうにありがたいです。

最後に注意を。一文中に複数回、同じ単語を出さない方がいいというのは、あくまで「その方がかっこいい」程度の話です。厳密に守らなければいけないわけでもなく、他に優先したいもの（理解しやすさや誤解しにくさ、あるいは執筆スピードなど）があれば、そちらを大切にすべきかなと思います。

3-2 隣接文に同じ単語を出さないかっこよさ

今度は、近くにある文同士の話です。以下の例文を見てください。

> この街で、僕は高校時代を過ごした。
> 仲間といっしょに過ごした日々は宝ものだ。

ここでは、『過ごした』という単語が隣接文中で複数回使われています。

この街で、僕は高校時代を過ごした。

仲間といっしょに駆け抜けた日々は宝ものだ。


どうでしょう、こんな感じにすると、一気に玄人っぽくなったと思いませんか？

隣接文で同じ単語を使うのは決してダメではないのですが、そこをあえて違う言葉に書き換えると、かなり上級者感が出るのでオススメです。

ただ、これはちょっと使い方のむずかしいテクニックでもあります。

たとえば、以下の例文。


僕は飛行機が苦手だ。

あの空飛ぶ鉄の塊を見るだけで、胃がキュウっと締め付けられる。


どうでしょう。

小洒落た、玄人っぽい文章だなあとは思っていただけそうな一方で、ちょっと酔っている感じもしませんか？　書き手が自分に酔っている感じ。

読み手の印象がどちらに転んでしまうかは、この文単体でどうこうというより、文脈や文章全体のトンマナいかんによります。

> 僕は飛行機が苦手だ。
> 飛行機を見るだけで、胃がキュウっと締め付けられる。

もしくは

> 僕は飛行機が苦手だ。
> 見るだけで、胃がキュウっと締め付けられる。

以上のように手堅く書いた方がなじむ場合もあるので、注意しながら使っていきたいテクニックです。

ただ、

僕は飛行機が苦手だ。
あんな空飛ぶ鉄の塊に自分の命をあずけようだなんて、みんなどうかしている。

のような変更は大いにありです。この場合は『飛行機』を『空飛ぶ鉄の塊＝普通なら飛びそうにないもの』と考えての文なので、ただ飛行機と書くよりわかりやすいですよね。

4. 強調表現

この部分は、この単語は、大きな声で主張して印象を強めたい。文章を書いていると、たびたびそんなことを思うときがあります。

たとえば、次の文章。

わたしは、味より食感より、焼きたてのパンの香りを愛している。

この文では、味や食感という他の要素を対比のために書き立てることで、香りへの愛を強調しています。これはこれで悪くないですが、

わたしは焼きたてのパンの「香り」を愛している。

このようにかっこでくくると、より簡単に、香りを特別なものとして主張することがで

きます。

読み手にしても、ここは特別な要素なんだなと視覚的に認識できます。文意をきちんと咀嚼せずとも、その文章においていちばん大切な単語を見分けられるというのは、とても便利です。

情報氾濫の現代、自分の書いた文章が最初からていねいに読んでもらえると思うのは、残念ながら楽観的と言わざるをえません。流し読みされるもの、として考えておくくらいでちょうどいいです。

そこへいくと、**文章構造ではなく視覚的・記号的に特別なものを表す手段**は、持っておくべき手札の一枚でしょう。

こういった記号での強調表現は、案外、書き慣れないうちは思いつかなかったりします。そして思いついても、うまく使えなかったり。それはすごくもったいないです。

使いすぎこそ厳禁ですが、いつでも取り出せる武器にできるよう、文章を書くときはぜひいろいろ試して遊んでみることをオススメします。

さて、かっこにはいくつか種類があります。強調に使えそうなところで言うと、わたしは焼きたてのパンの「香り」を愛している。
わたしは焼きたてのパンの『香り』を愛している。
わたしは焼きたてのパンの【香り】を愛している。

このあたりでしょう。また、かっこ以外の記号では、

わたしは焼きたてのパンの〝香り〟を愛している。

とかもアリですね。

これらのどれを使うか、複数採用する場合どう使い分けるかは、もうほんとうに好みの領域です。

わたしは「」と『』をよく使っています。「」はセリフやメッセージ、文章、『』は単語やいくつかの言葉で修飾された名詞などを強調する際、出てきてもらっています。なので、香りを強調するなら、単語なので「香り」ではなく『香り』ですね。

他の例を挙げると、

- 彼が「あぶない！」と言ってくれなかったら、どうなっていたか。（セリフを強調）
- いつからか、「やさしい人にならなくちゃ」と思い込んでいたような気がする。（文章を強調）
- 建物として見ても、『学校』は特殊だ。（単語を強調）
- この街は、『夢を追う人のための場所』だと思う。（修飾された名詞を強調）

このような感じです。

あくまで自分の中で勝手に決めているルールなので、そこまで厳密に考えているわけではありませんが。「ん、これはどっちのかっこを使うべきだ……？」と迷うことも、たまにあったりします。

とはいえ、なにか自分なりのルールを決めておくと、やはり執筆スピードは上がるので便利です。

出版業界の慣習として、「」はセリフや固有名詞など、『』は作品タイトルなど特定の場合のみ使う、というものもあったりします。小説なんかではここらへんかなり自由なので、わたしは自分のルールの方を優先させていますが。

強調する手段としては、他にも、**こういった太字表現**があります。この本でもよく出てきていますね。わたしは、かっこでくるほどじゃないけれど、なんとなく強調しておきたい……くらいのときに使っています。

他には、こういった傍点や、こういった傍線も。

同じ文章で比べてみましょう。

> 仕事を任せられるかどうかは、**機密保持ができるかどうか**による。
> 仕事を任せられるかどうかは、機密保持ができるかどうかによる。
> 仕事を任せられるかどうかは、機密保持ができるかどうかによる。

こうして見ると、わりあい、それぞれ印象が違いますね。個人的には、傍点の雰囲気が好みです。

なお、これらはプラットフォームによって使えるときと使えないときがあります。その点、ちょっと汎用的ではないです。

紙媒体ならだいたい問題なく使えるので、技術同人誌なんかを書くとき、使ってみてもおもしろいかもしれませんね。

強調表現はまだあります。以下の文を見てください。

冷蔵庫を開け、気づいてしまう。プリンがないのだ。

後半の文章を強調してみましょう。

冷蔵庫を開け、気づいてしまう。「プリンがない」のだ。
冷蔵庫を開け、気づいてしまう。〝プリンがない〟のだ。
冷蔵庫を開け、気づいてしまう。**プリンがない**のだ。

冷蔵庫を開け、気づいてしまう。プリンがないのだ。

今までご紹介した手法では、以上のような感じです。悪くないのですが、驚きに息を呑んだ感じを作りたかったら、こんな方法があります。

冷蔵庫を開け、気づいてしまう——プリンがないのだ。

この『——』を使うテクニックは、特に小説でよく出てくるものです。押し出したい言葉や文章そのものをどうこうするのではなく、前にタメを作ることで、後に続くものの印象を強めます。これまで出たどのやり方とも違う、ちょっと特殊な表現です。

なかなか便利で、日常的な文章においても十二分に使えます。

応用法として、

冷蔵庫を開け、気づいてしまう。

――プリンが、ないのだ。

なんて風に、ちょっと大袈裟に改行と読点を足すと、さらにグッと事態が強調されますね。相当大事なプリンだったんだろーなーとか、そのプリンがないとめっちゃ困るんだろーなーとか、そんな雰囲気が漂います。

ちなみに、また出版業界でのお話をすると、『――』は二個セットで（つまり偶数個で）使うのが慣習となっています。さらにちなみに、『……』も同様です。

―かわいい猫がいる！
…かわいい猫がいる！

ではなく、

――かわいい猫がいる！
……かわいい猫がいる！

とするわけです。これに関してはわたしも業界の慣習にすっかり染まっており、奇数個で使われているのを見ると、なんとなく落ち着かない気持ちになります。もちろん、奇数個で使うのが間違っているとかではなく、偶数個が正しいわけでもありません。そういう業界もあるよ、というだけの、ちょっとしたこぼれ話です。

文章を書くという行為には、言葉を連ねることだけでなく、このような記号や表示方法による工夫も含まれます。

書き慣れた人ほど、『文章そのもの』の意味**だけに**頼らない、〝さまざまな強調表現〟を自然に使います。もちろん以上の一文は、使いすぎのダメな例です。

ともあれ、ぜひいろいろ試してみてください！

7章

直してみよう！

理系文章の実践的ブラッシュアップ例

1. とあるウェブサービスの説明文

この章で、本書は終わりになります。今まで、さまざまなテクニックをお伝えしてきました。最後に、この実践演習編でもって、その総ざらいをしていきたいと思います。

修正すべきところのある文章を例としてお出ししますので、どこをどんな風に直すべきか、考えてみてください。なお、もちろんここでいう「修正すべき」とは、理解しやすい文章にしたいなら修正すべき、という意味です。

さて、以下は、とある架空のウェブサービスの説明文です。

> コンダテジェネレーターは貴方に合った献立を自動生成するサービスで一週間分を纏めて作り、献立を考案する手間を省略する事で家事の負担が軽減されます。
> 献立を自動生成する手法はSNSの投稿解析で連携した貴方のアカウントの、投稿から嗜好や生活習慣等を解析し最適な献立が生成されます。

調理レベルを設定する事も可能でその設定に依って、難易度の高い調理工程や入手性の悪い食材等を避ける事も出来初心者でも安心です。

意味がわからないことはないのですが、とにかく読みにくいです。理解しにくい文章の典型例でしょう。

かなり大げさに書きはしました。しかし実際、傾向としてこのような感じになってしまっている文章は、わりと世の中に多くあります。

では、直していきましょう。一文目からいってみます。

コンダテジェネレーターは貴方に合った献立を自動生成するサービスで一週間分を纏めて作り、献立を考案する手間を省略する事で家事の負担が軽減されます。

読点が明らかにすくないです。ズラズラズラっと文字が並んでしまっていて、なかなか読むのが大変ですね。なので、まずは読点を打ち直し。

コンダテジェネレーターは、貴方に合った献立を自動生成するサービスで、一週間分を纏めて作り、献立を考案する手間を省略する事で、家事の負担が軽減されます。

こうすると、まだいくらか読みやすくなります。そして、一文に読点が4個入りました。

0個：短めの文章。
1個：普通の文章。
2個：長めの文章。
3個：長い文章。句点で区切れないか検討してみる。
4個：長すぎる文章。特別な表現でない限り、なるべく句点で区切る。
注）並列要素を区切る読点（セオリー6）に関しては、何個あっても1つとカウント

この基準から考えると、4個はちょっと多いです。実際、長さが悪さをしていて、読んでみると「結局なんの話をしているんだっけ？」と混乱させる文になっています。

句点で区切ってみましょう。

コンダテジェネレーターは、貴方に合った献立を自動生成するサービスです。一週間分を纏めて作ります。献立を考案する手間を省略する事で、家事の負担が軽減されます。

これで、かなり意味がわかりやすくなりましたね。
次は漢字を開きましょう。

コンダテジェネレーターは、あなたに合った献立を自動生成するサービスです。一週間分をまとめて作ります。献立を考案する手間を省略することで、家事の負担が軽減されます。

『貴方』や『纏めて』は字面の圧が高めなので、開いてやわらかくしました。また、形式名詞の『事』も『こと』に開いています。
さて次は、正確さを重視しすぎて言い方が硬くなっている部分を変えていきましょう。

コンダテジェネレーターは、あなたに合った献立を自動生成するサービスです。一週間分をまとめて作ります。献立を考える手間をなくし、家事が楽になります。

『考案する』は『考える』でいいでしょう。『省略することで』というのも、そこまでちゃんと表現する必要はないかなと思います。『負担が軽減』にも、硬さが目立ちますね。それぞれ、シンプルな言い方にしてみました。歯切れがよくなったかなと思います。

『自動生成』は、これもまた圧の強い言葉ですが、あえてこのままにしておきました。このサービスのキモとなる言葉だろうからです。**ほかの部分の圧をちゃんと下げておくことで、こういった、これはというワードに存在感のある字面が使えます。**

ここまでが2〜4章のテクニックです。続いて、中級編の技も使ってみましょう。

家事が楽になります。

最後のこの部分、なにか違和感がありませんか？

実は、それまでアプリ側にあった視点が、ここでいきなりユーザー側に移っています。「一週間分をまとめて作る」のも「考える手間をなくす」のもアプリがやることですが、対し、「家事が楽になる」のはユーザーですよね？

なので、

> 家事を楽にします。

とするのが正しいでしょう。さて、まとめて見てみましょう。

> コンダテジェネレーターは、あなたに合った献立を自動生成するサービスです。一週間分をまとめて作ります。献立を考える手間をなくし、家事を楽にします。

このような感じになりました。

……うるさいことを言うと、まだブラッシュアップの余地はあります！「献立を〜手間を〜家事を」と、**〜を**が続いてしまっているのが、ちょっと気になる。

ただ、これをちゃんと直そうとなると、全体の視点を変えなくてはならなかったりして割と手間がかかります。そこで、上級編で紹介した技を使って楽をしましょう。

コンダテジェネレーターは、あなたに合った献立を自動生成するサービスです。一週間分をまとめて作ります。『献立を考える手間』をなくし、家事を楽にします。

このように『』で囲って、言葉と言葉のつながりをわかりやすくし、**〜を**の連続感をごまかします。強調表現はこういうときにも便利です。姑息といえばそうですが、正攻法だけが戦法ではないのです。

さて、この調子で続きの文章とも戦っていきましょう。楽しくなってきましたね！　わたしはこういう作業が大好きです。

献立を自動生成する手法はSNSの投稿解析で連携した貴方のアカウントの、投稿から嗜好や生活習慣等を解析し最適な献立が生成されます。

まずは読点の打ち直し。

> 献立を自動生成する手法は、ＳＮＳの投稿解析で、連携した貴方のアカウントの投稿から、嗜好や生活習慣等を解析し、最適な献立が生成されます。

読点をきちんと打つだけで、かなり意味を読みとりやすくなるのが、おわかりいただけるかなと思います。逆に言えば、読点を適当に打つというのは、それだけ危険なことなのです。

一文の長さが浮き彫りになったので、句点で区切ってみましょう。

> 献立を自動生成する手法は、ＳＮＳの投稿解析です。連携した貴方のアカウントの投稿から、嗜好や生活習慣等を解析し、最適な献立が生成されます。

すっきりしましたね。次は漢字を開きましょう。

献立を自動生成する手法は、ＳＮＳの投稿解析です。連携したあなたのアカウントの投稿から、嗜好や生活習慣などを解析し、最適な献立が生成されます。

前と同じく『貴方』を開いたほか、『等』もひらがなにしました。『等』は名詞とくっつけて使用されるので、漢字のまとまりを作りがち。なので、開いておいた方がいい言葉のひとつです。

続いて、硬すぎる表現の言い換えと、視点の整理をしましょう。

献立は、ＳＮＳの投稿を解析して作成。連携したあなたのアカウントの投稿から、好き嫌いや生活習慣などを読みとり、最適なものを作ります。

最初の一文、かなり大きく手を加えました。『自動生成』と『投稿解析』が一文の中で並ぶのは重いです。自動生成に関しては前の文で一度使っていますし。というわけで、なるべく同じような意味を持たせたまま、これらを避ける形で書き換えました。

……ほんとうは、『作成』ではなく『作ります』としたいところではあります。その方が漢語の連続を避けられるので。しかし、『作ります』が連続するほか、文末の『ます』も四回続いてしまうため、ここは苦渋の決断をして『作成』としました。

フリーランス広報として独立する前の会社員だったころ、インターンシップで来てくれた学生さんに、こういったライティングの技術を教えたことがあります。そのとき、わたしの受け持ちの学生さんが、「こういうの、なんだかパズルみたいですね」なんて言っていました。

パズルとはまさにそのとおり。推敲は、あちらを立てればこちらが立たずで、なんとかうまくハマるやり方はないものかと頭をひねる時間です。その分、カチリとぴったりハマったときは、たいへん快感なのですが。

閑話休題。

次の文では、『嗜好』を『好き嫌い』に言い換えています。こちらの方が、当たりがやわらかいでしょう。

『解析』も『読みとり』に。前の文章で一度この言葉を使っているので、上級編で説明したように、隣接文で言葉が重ならない形にしています。読みとり、とした方が語感もやさしいですしね。『生成されます』はどうするか迷いますが、より一般的な語感の『作ります』に変えました（視点の整理もしています）。

そのほか、ほんとうにかなり細かい、趣味レベルの話がひとつ。もし一文目の『作成』と二文目の『作ります』が、隣接文での同じ言葉の重なりに感じて気になるようなら、『作ります』を『組みます』に換えてもいいでしょう。

次の文章にいきます。

> 調理レベルを設定する事も可能でその設定に依って、難易度の高い調理工程や入手性の悪い食材等を避ける事も出来初心者でも安心です。

またしても、まずは読点の打ち直し。

> 調理レベルを設定する事も可能で、その設定に依って、難易度の高い調理工程や入手性の悪い食材等を避ける事も出来、初心者でも安心です。

漢字を開いてないから、ということもあるのですが、『出来』と『初心者』がくっついてしまっていたのが特に良くなかったですね。『出来初心者』という新しい単語のようになってしまいます。こういうものは要注意です。

さて、やはり一文が長め。長すぎるというほどではありませんが、句点で区切って短くした方が読みやすくなりそうです。

> 調理レベルを設定する事も可能です。その設定に依って、難易度の高い調理工程や入手性の悪い食材等を避ける事も出来、初心者でも安心です。

歯切れがよくなりました。次は漢字を開きます。

> 調理レベルを設定することも可能です。その設定によって、難易度の高い調理工程や入手性の悪い食材等を避けることもでき、初心者でも安心です。

『依って』などの日常的に触れない漢字のほか、『事』や『出来』などを開いています。もうだいぶ読みやすくなりましたね。適切に読点を打ち、必要があれば句点で区切る。

そして漢字を開く。それだけで、かなり印象は変わります。

続いて、硬すぎる表現の言い換えです。

> 料理をする人のレベルも設定できます。むずかしい調理や手に入りにくい食材などを避けられるので、初心者でも安心です。

『調理レベル』の意味がすこしわかりにくかったので、『料理をする人のレベル』に換言。

それから、重複するような余分な言葉も削除。

そして、『難易度の高い』や『入手性の悪い』などもそれぞれやさしく言い換えています。**〜度の高い・低い**、**〜性の良い・悪い**という言い回し、理系は使いがちなのですが、どうしても字面の圧を高めてしまうので気をつけたいですね。

また、『こともできる』は『られる』に。

あとは微調整です。

> 初心者でも安心です。

この部分。微妙なんですが、ユーザー側に視点が移ってしまっていると言えなくもないです。せっかくなのでちょっとていねいにしつつ、

初心者の方にも安心してご利用いただけます。

とすると、はっきりアプリ側の視点になるのでいいかなと思います。しかし、ほかの文と合わせると、ここでも文末の『ます』が連続してしまいます。なので、字面の圧がすこし高まってはしまいますが、前の一文を、

料理をする人のレベルも設定可能です。

とするのがいいかなと思います。
通しで見ると、

料理をする人のレベルも設定可能です。むずかしい調理や手に入りにくい食材などを避けられるので、初心者の方にも安心してご利用いただけます。

となりました。

さて、それでは全体のビフォーアフターです。

最初がこれ。

コンダテジェネレーターは貴方に合った献立を自動生成するサービスで一週間分を纏めて作り、献立を考案する手間を省略する事で家事の負担が軽減されます。
献立を自動生成する手法はＳＮＳの投稿解析で連携した貴方のアカウントの、投稿から嗜好や生活習慣等を解析し最適な献立が生成されます。
調理レベルを設定する事も可能でその設定に依って、難易度の高い調理工程や入手性の悪い食材等を避ける事も出来初心者でも安心です。

最終的に以下のようになりました。


コンダテジェネレーターは、あなたに合った献立を自動生成するサービスです。一週間分をまとめて作ります。『献立を考える手間』をなくし、家事を楽にします。

献立は、SNSの投稿を解析して作成。連携したあなたのアカウントの投稿から、好き嫌いや生活習慣などを読み取り、最適なものを組みます。

料理をする人のレベルも設定可能です。むずかしい調理や手に入りにくい食材などを避けられるので、初心者の方にも安心してご利用いただけます。


ふたつの文章、言っていること自体は同じです。それでも、表現を工夫することで、ここまでの違いが生まれます。

必ずここまでやらなければならない、というわけではありません。

読点の整理。それから漢字の開き方の確認。そして、正確さを大事にしすぎた言葉づかいになっていないかチェック……まずはこの三つからやってみましょう！　それだけで大きく変わります。

2. SNSへの、とある投稿文

日常的な文章でも例を出して、同じように修正をしてみます。
以下、SNSへ投稿された文章だと思って読んで下さい。

> 新しいコートを購入したが軽量でありながら、高い防寒性を有しており利便性が高く撥水性にも優れて居るのでこれを羽織っていれば、突発的な雨にも困りません。デザインはフォーマルでもカジュアルでも使えるデザインなので会社に行く日も休日も使っています。

どうしようもなく読みにくいわけではありません。ただ、やっぱりちょっととっつきにくさはあります。どう変えていきましょうか。

一文目について、まずは読点から打ち直し。

> 新しいコートを購入したが、軽量でありながら高い防寒性を有しており、利便性が高く、

撥水性にも優れて居るので、これを羽織っていれば突発的な雨にも困りません。

さて、ちゃんと打ってみると、今回の文もやはり長いので、句点で区切ります。

新しいコートを購入しました。軽量でありながら高い防寒性を有しており、利便性が高いです。撥水性にも優れて居るので、これを羽織っていれば突発的な雨にも困りません

中級編でご紹介したように、一文一意を意識して区切るといい感じです。

- コートを買ったこと
- 防寒性が高くて助かっていること
- 雨にも強いこと

の三つの要素が入っているので、それぞれがひとつの文になるようにしました。
次は漢字を開きましょう。

新しいコートを購入しました。軽量でありながら高い防寒性を有しており、利便性が高いです。撥水性にも優れているので、これを羽織っていれば突発的な雨にも困りません。

『優れて居る』を『優れている』に。このような『いる』は補助用言で、もともとの意味が薄いので漢字にする旨みがありません（2章参照）。

次は言い回しの修正です。

新しいコートを買いました。軽いわりにしっかり寒さを防いでくれ、とても便利です。水も弾いてくれるので、これを羽織っていれば突然の雨にも困りません。

～性という言い方はすごく便利で、かつ理系にとっては身近な言葉です。ただ、一般的には（悲しいことに）自然ではないようなので、多くの方々に向けた文章を書くときは、気をつけていきたいです。

もちろん、『撥水性にも優れている』と『水も弾いてくれる』は、違う表現になっている以上、完全な言い換えではありません。ほかも同様です。その良し悪しをどう判断するかが、書き手の腕の見せどころになります。

さて、次の一文にいきましょう。

> デザインはフォーマルでもカジュアルでも使えるデザインなので会社に行く日も休日も使っています。

読点の打ち直しをすると、以下のようになります。

> デザインは、フォーマルでもカジュアルでも使えるデザインなので、会社に行く日も休日も使っています。

これは、句点で区切らずとも良さそうです。開かなければいけない漢字も、固くなってしまっている言い回しもありません。

では、修正は読点だけでいいでしょうか？……いいえ、まだやれることがあります。

こう変えてみましょう。

デザインは、フォーマルでもカジュアルでも使えるものなので、会社に行く日も休日も着込んでいます。

まず、『デザイン』が二回出てきていました。同じ名詞が複数回現れると、ちょっと野暮ったくなってしまいます。できるなら、代名詞を使うなどして調整していきましょう。グッとあか抜けて見えます。

また、『使える』と『使っています』の被りも修正してみました。ここは完全に同じ単語ではないのですが、調整できたらその方が見栄えはよくなります。

さて、では全体のビフォーアフター。

新しいコートを購入したが軽量でありながら、高い防寒性を有しており利便性が高く撥水性にも優れて居るのでこれを羽織っていれば、突発的な雨にも困りません。デザインはフォーマルでもカジュアルでも使えるデザインなので会社に行く日も休日も使っています。

新しいコートを買いました。軽いわりにしっかり寒さを防いでくれ、とても便利です。水も弾いてくれるので、これを羽織っていれば突然の雨にも困りません。デザインは、フォーマルでもカジュアルでも使えるものなので、会社に行く日も休日も着込んでいます。

修正後のバージョンは、かなり読みやすく、そしてやさしい語り口になりましたね。

この本全体を通して何度もお伝えしていることを、最後にもう一度。こういった形に修正することが、絶対的に正しいわけではありません。特に、誤解しにくい文章を書きたいときは、そうすべきではないでしょう。

一方で、多くの人が楽に意味を読みとれる、理解しやすい文章を書くべきシチュエーションもあります。今回ご紹介したさまざまなテクニックは、そういうときにぜひ、ご活用いただければと思います。

自分が得た技術をだれかに伝えたくなるのは、人が古くから持つ性(さが)でしょうか。「血を継げ」と肉体が言うそばで、「知を継げ」と理性が求め続けたからこそ、人間の社会は発展してきたのだろうと思います。

ともあれ、こうしてありがたいことに、自分の技術をたくさんの方々へお伝えする機会に恵まれました。とても誇らしく、同じくらい恐縮で、なによりやっぱりうれしいです。

本書には、実は原型があります。『エンジニアのための日本語文章テクニック　〜明日から「読みやすいね」と言われよう!〜』という題の、わたしが個人で作った同人誌です。国内最大級の技術書オンリー即売会、技術書典にて販売しました。

さて、その『エンジニアのための日本語文章テクニック』ですが、販売前から大きな反響をいただいていました。興味を持ってご購入を考えてくださる方が、わたしが予想していたより、はるかにたくさんいらっしゃったのです。

予定していなかった冊数を印刷所に発注しながら、「大ごとになったぞ、当日ちゃんと対応できるのか」「大げさじゃないのか、ほんとうにこんなに売れるのか」と、背中を濡らしたことをよく覚えています。

はたしてイベント当日、販売スペースには、実際にたくさんの方々が来てくださいました。中には小説の読者の方も。とても幸せな時間でした。

とはいえ、同人誌を作るのがはじめてなら、即売イベントで販売側に立つのも経験がない。始終、あわあわしていた覚えがあります。友人の助けを借りられなければ、乗り切ることはできなかったでしょう（このあたりの顚末は、ブログに細かく記してあります。もしご興味ございましたら、note.com で藍月要をご検索ください）。

結局、お売りした数は、同人誌としてはなかなか多いものとなりました。そして、こんなこともあるものなんだなあと驚いていたわたしに、「商業版を出さないか」というメールでさらなる驚きをくれたのが、星海社編集部でした。

今お手にとっていただいている本は、このような、すこしだけ特殊な経緯で生まれています。なお、技術書典をルーツとする本が、新書というカテゴリーで商業出版されるのは、もしかしたらこれがはじめてかもしれません。

ところで、本書のターゲットは、理系の同胞たちです。そして、わたしは例外的に文章を書く仕事をしていますが、多くの皆さんは、ライティングがお仕事のメインではないはず。文章書きはあくまでサブウェポン的な能力で、そんなに本腰入れて鍛える時間は取れないかなと思います。

ならば、その参考書となるものは、厚く作るべきではありません。厚い本は、まず読み始めるのに大きな気力が要ります。本業ではないスキルを磨くために、それを出せるかというと、やっぱり厳しいですよね。

買っていただいて、でも積まれてしまって、では意味がない。お買い上げいただいたあとに、きちんと読まれる本にしたい。わたしは、同人誌版を作ったときからそんなスタンスを掲げています。

お手にとっていただいておわかりのとおり、本書がちょっと薄めの仕上がりになっているのは、そのような理由によります。

そもそも、どうしてこんな本を書こうと思ったかについても、すこしだけ書かせてください。

わたしは高専から大学院（途中で出てしまいましたが）まで、十年近く、理系界隈と言われる世界の中で過ごしてきました。その間にたくさん聞いたのは、「文章書くのは苦手」「がんばって書いても読みにくいと言われる」という、同胞たちの沈んだ声。わたし自身も、理系の世界の中で得た技術を自分なりにふるって文章を書いたら、読みにくい＝質が低いと評価されたことが、多々あります。

「理系の我々は～」というようなことを本編で何度も書いておきながら、ちゃぶ台をひっくり返すようで恐縮ですが、わたしは、人間は理系と文系ではっきり分けられるようなものではないと思っています。ただ、一方で、いわゆる理系と呼ばれるわたしたちが、やはり文章表現についてなんらかの不得手を抱えているのも確かなことです。

わたしたちはなにを間違えている？――その疑問の答えは、作家デビューして三冊目を出したあたりで、試行錯誤の末にようやくわかってきました。

まず、文章には、

・ひとりでも多くの人に理解・共感してもらうことを目指すもの

・わずかひとりにでも誤解されないことを目指すもの

の、大きく分けて二種類があること。

そして、前者において磨いた力を後者の文章で、あるいは、後者において磨いた力を前者の文章で使うと、逆効果になってしまうこと。

わたしたち理系の人間は、必ずしも文章力が低いのではなかった。その使い方、使うべきシーンを間違えていたのです。

理系が学問において磨くのは、言わば『誤解しにくい』文章の書き方。しかし、日々の生活の中で求められがちなのは、言わば『理解しやすい』文章の書き方です。そして両者は、両立させることができず、片方に寄せるともう片方からは遠ざかる性質があります。

なるほどそれならば、理系は、文章を書くのが苦手だと自他ともに思ってしまうわけです。

しかし、理系のための文章技法本というと、『誤解しにくい』文章を書くための本ばかりが売られています。我々理系の人間に向けた、『理解しやすい』文章を書くための教本は、とんと目にしません。

ならば書くしかない！　かつての自分と同じように悩んでいるかもしれない、どこかにいる同胞のために。そんな思いのもと、本書は作られました。

これを書いている今現在、新型コロナウイルスの影響で、世界は大きな変革期を迎えています。人と人とが対面してコミュニケーションを行えるというのは、必ずしも当たり前のことではなかったんだなと痛感するばかりです。

同時に、だからこそ、文章でものごとを表現するスキルの重要さが、改めて身にしみます。直接は会えないからこそ、生活の上ではSNSでの情報発信が重要さを増し、仕事の上ではテキストベースでのやりとりが多くなる。そんなとき、正確さを重視する『誤解しにくい』文章が頼れることもあれば、読みやすくわかりやすい『理解しやすい』文章を書くべき状況もあるはずです。両者を上手に使い分けられたら、こんなに心強いことはありません。

そのために、本書がお役に立ったなら、心の底からうれしいです。

続いて謝辞を。まずは、同人版製作・販売に力を貸してくれた友人たち。素敵なイベントを運営してくださった技術書典スタッフの方々。そしてもちろん、同人版をお買い上げくださった皆さま。ほんとうにありがとうございました。同人版あっての本書です。

それから、商業版出版を企画くださった星海社編集部編集長と、担当編集さん。よりたくさんの人に技術を届けられる、こんな素敵な機会をいただけたこと、ほんとうにありがたく思っています。打ち合わせをする中で感じた、おふたりの『知』への熱意は、とても頼もしかったです。

また、原稿を送るたびに返ってくる担当編集さんの温かい感想は、執筆の大きな支えのひとつでした。おかげさまで、なんとか最後まで完走できました。


最後に宣伝を!

KADOKAWAファミ通文庫より、わたしの最新作である『やがてうたわれる運命の、ぼくと殲姫(せんき)の叛逆譚(カルテット)』が発売中。各所でたいへんご好評をいただいている、正統派ファンタジーの自信作です。ぜひお手にとっていただけたらうれしいです。

以上、藍月要でした。

理系のための文章教室　もう「読みにくい」とは言わせない！

二〇二〇年五月二五日　第一刷発行

著者　藍月要
©Kaname Aizuki 2020

発行者　太田克史
編集担当　片倉直弥
編集副担当　太田克史

発行所　株式会社星海社
〒一一二-〇〇一三
東京都文京区音羽一-一七-一四　音羽YKビル四階
電話　〇三-六九〇二-一七三〇
FAX　〇三-六九〇二-一七三一
https://www.seikaisha.co.jp/

発売元　株式会社講談社
〒一一二-八〇〇一
東京都文京区音羽二-一二-二一
（販売）〇三-五三九五-五八一七
（業務）〇三-五三九五-三六一五

印刷所　凸版印刷株式会社
製本所　株式会社国宝社

アートディレクター　吉岡秀典（セプテンバーカウボーイ）
デザイナー　五十嵐ユミ
フォントディレクター　紺野慎一
校閲　鷗来堂

ISBN978-4-06-519945-9
Printed in Japan

161
SEIKAISHA SHINSHO

次世代による次世代のための

武器としての教養
星海社新書

星海社新書は、困難な時代にあっても前向きに自分の人生を切り開いていこうとする次世代の人間に向けて、ここに創刊いたします。本の力を思いきり信じて、**みなさんと一緒に新しい時代の新しい価値観を創っていきたい。若い力で、世界を変えていきたいのです。**

本には、その力があります。読者であるあなたが、そこから何かを読み取り、それを自らの血肉にすることができれば、一冊の本の存在によって、あなたの人生は一瞬にして変わってしまうでしょう。**思考が変われば行動が変わり、行動が変われば生き方が変わります。**著者をはじめ、本作りに関わる多くの人の想いがそのまま形となった、文化的遺伝子としての本には、大げさではなく、それだけの力が宿っていると思うのです。

沈下していく地盤の上で、他のみんなと一緒に身動きが取れないまま、大きな穴へと落ちていくのか？　それとも、重力に逆らって立ち上がり、前を向いて最前線で戦っていくことを選ぶのか？

星海社新書の目的は、**戦うことを選んだ次世代の仲間たちに「武器としての教養」をくばることです。**知的好奇心を満たすだけでなく、自らの力で未来を切り開いていくための〝武器〟としても使える知のかたちを、シリーズとしてまとめていきたいと思います。

2011年9月

星海社新書初代編集長　柿内芳文